KU-068-243

BANGNIXUE
SHUXUE

BANGNIXUE
SHUXUE

BANGNIXUE
SHUXUE

BANGNIXUE

帮你学

数学

——张景中院士献给
少儿的礼物

[典藏版]

张景中◎著

中国少年儿童新闻出版总社
中国少年兒童出版社
北京

图书在版编目（C I P）数据

帮你学数学（典藏版）/ 张景中著. —北京：中国少年儿童出版社，2011.7
（中国科普名家名作·院士数学讲座专辑）
ISBN 978-7-5148-0197-2

Ⅰ.①帮… Ⅱ.①张… Ⅲ.①数学－少儿读物 Ⅳ.①01-49

中国版本图书馆 CIP 数据核字（2011）第 062325 号

BANGNI XUE SHUXUE (DIANCANGBAN)
（中国科普名家名作·院士数学讲座专辑）

出版发行：中国少年儿童新闻出版总社
中國少年兒童出版社
出 版 人：李学谦
执行出版人：赵恒峰

策　　划：薛晓哲　　著　　者：张景中
责任编辑：薛晓哲　常　乐　　责任校对：杨　宏
装帧设计：缪　惟　刘豪亮　　责任印务：杨顺利

社　　址：北京市东四十二条 21 号　　邮政编码：100708
总 编 室：010-64035735　　传　　真：010-64012262
发 行 部：010-84037667
h t t p：//www.ccppg.com.cn
E-mail：zbs@ccppg.com.cn

印刷：北京友谊印刷有限公司　　出版发行：中国少年儿童新闻出版总社

开本：880mm × 1230mm　1/32　　印张：7
2011 年 7 月第 1 版　　2011 年 7 月北京第 1 次印刷
字数：119 千字　　印数：9100 册

ISBN 978-7-5148-0197-2　　定价：14.00 元

目录

BANGNIXUESHUXUE Contents

目录

Contents

BANGNIXUESHUXUE

目录

BANGNIXUESHUXUE

Contents

帮你学数学

目录

Contents BANGNIXUESHUXUE

帮你学数学

猴子吃栗子

有一位少年养了 2 只猴子。

每天早晨，他给每只猴子 4 个栗子吃，它们十分高兴地吃了。到了晚上，再给它们 3 个，猴子就大吵大闹起来。它们想不通：为什么晚上比早晨少了一个呢？

这位爱动物的少年，当然希望猴子愉快一点，不要天天吵闹。可他又没有更多的栗子。于是，改为早上给 3 个，晚上给 4 个。

说也奇怪，猴子高兴了。它们发现：每天晚上，都比早晨吃到了更多的栗子。

$3+4=4+3$。猴子到底是猴子。它不懂得交换律，所以早 3 晚 4 和早 4 晚 3，收到了不同的效果。

算术里还有结合律、分配律和别的律。我们用惯了，往往认为那是理所当然的事，并不觉得“律”有什么宝贵，就像不觉得空气的宝贵一样。

想一想，要是这些律不成立，做起题来该多麻烦。你得按次序算，许多简便的方法也没有了。比如：

$4\times73\times25=73\times(4\times25)=7300$，

$23\times68+32\times23=23\times(68+32)=2300$。

这些简便的方法，就是用交换律、结合律和分配律得到的。

不过，也不是什么运算都能交换、结合和分配的。初学代数的时候，我常在作业本上写：

$(a+b)^2=a^2+b^2$；$\sqrt{a+b}=\sqrt{a}+\sqrt{b}$；

$(3a)^2=3a^2$；$\frac{2x+1}{4}=\frac{x+1}{2}$。

那结果，是红色的“×”子很多。后来，逐步吸取教训，知道了什么运算可以用什么律，“×”子才少起来。

为什么不同的运算有不同的律呢？要是所有运算用一样的律，岂不方便吗？

偏偏不行。世界上的事是复杂的。不同的事，各有自己的特点和规律。

交换和条件

算术里的交换律，在日常生活中一样有用。不过，你也一样不能乱用。

猴子吃栗子的故事，当然是人编出来的，并非确有其事。可是，喂猪的饲养员知道：给猪开饭的时候，要先喂粗饲料，后加精饲料，让它越吃越香，才能吃得饱，睡得好，长得快。交换律在这里不成立。

还有一些事，它们的顺序是根本不能交换的。先穿袜子，后穿鞋，很对。反过来，先穿鞋，后穿袜子，还像什么样子呢？拧开钢

笔帽，灌上墨水，再写字，很对。反过来，就不可能了。

也有这样的情况：两件事交换之后，照样讲得通，只是含意不同了。

说“小宁吃东西的时候还在看书”，马上给人一个印象：小宁太爱学习了。你看，吃东西的时候还在看书。要注意身体，别得了胃病。

交换一下，说“小宁看书的时候还在吃东西”，这就会使人觉得他馋嘴，看书的时候还在吃零食。

体育老师喊的口令，有的时候是可以交换的，有的时候又不可以随便交换。

要是把“向前 5 步走”和“向前 3 步走”交换一下，结果就一样。反正总共是向前走了 8 步。

要是把“向前5步走”和“向后转”交换一下，那就不同了。先向后转，再向前5步走，结果，和刚才的位置正好相差10步。

所以，做事、说话和做题一样，得讲究顺序，不能随便交换。

算术里的别的律，也有类似的情况。

用水和米煮饭，用酱油、姜、蒜烧鱼，然后一起吃。要是应用结合律，把米和酱油、姜、蒜放在一起煮饭，把水和鱼放在一起烧鱼，这怎么做，又怎么吃呢？

口令的计算

在算术里，任何两个数可以相加。

要是我们把两个口令连续执行的结果，叫做这两个口令相加所得到的和，那么，任何两个口令就可以相加了。相加之后，可能得到一个新口令，也可能得到一个老口令。

这“新”和“老”是什么意思呢？

你看：

向左转＋向后转＝向右转；

向前1步走＋向前3步走＝向前4步走。

前一个式子的结果——向右转，是一个老口令；而后一个式子的结果——向前4步走，便是一个新口令。不信去问体育老师，他从来不会叫你们“向前4步走”。体育课上的口令，是不兴叫4步或者6步走的，因为最后的一步，不许落在左脚上。

不过，我们可以把思想解放一下：走4步就走4步，又有什么不可以的呢？好在我们这里说的是数学，允许推广，也允许产生新的数。

在算术里，只要有了 1，1+1=2，1+2=3……所有的正整数就都出来了。

在口令的算术里，要产生出多种多样的口令，只有一个口令可不够了。

要是只有一个“向前 1 步走”，那就只能向前走，想转一个弯都不行。

要是只有一个“向左转”，那就只能原地转来转去，想走 1 步都不行。

不过，只要有了一个“向前 1 步走”和一个“向左转”，便可以组成多种多样的口令了。不信？你可以试试。

算术里有个 0，任何数加 0，等于本数。

口令里也可以有个 0。我们不妨把“立正”叫做 0。要是不考虑“稍息”、“向右看齐”之类的话，任何口令加上立正，都不会影响执行的结果。

在口令中，也可以有相反的口令。这好比代数里的相反数。

3 和 −3 互为相反数。因为

$3+(-3)=0$。

向左转的“相反数”是向右转。因为

向左转 + 向右转 = 立正 = 0。

向前 5 步走的相反数是什么呢？难道是后退 5 步吗？

别着急。因为

向前 5 步走 +（向后转 + 向前 5 步走 + 向后转）=0，所以向前 5 步走的相反数，便是

向后转 + 向前 5 步走 + 向后转

这 3 个口令连在一起，效果相当于后退 5 步。

我们这样把许多口令放在一起，就形成了只有一个运算的系统。这个运算，就是两个口令相加——接连执行。这种只有一个代数运算的系统叫做“群”。

研究群的数学叫做群论。群论和几何、代数、物理……关系密切，非常有用，非常重要。它是 19 世纪的法国中学生伽罗瓦创立的。

有趣的变换

同一件事，用不同的看法和办法去对待，往往有不同的结果或者收获。

我们分别用 0、1、2、3 来代表立正、向左转、向后转和向右转。

那么，把

向左转 + 向后转 = 向右转，

向右转 + 立正 = 向右转

表示成

$1+2=3$,

$3+0=3$,

这都是说得通的。

可是，把两个口令连起来，为什么非得叫做相加不可呢？不叫相加，偏偏叫相乘，又有什么不可以呢？

你也许会说，那不像话。要是叫做相乘，那么，向右转 × 立正 = 向右转，岂不是 $3\times0=3$。这和 0 的性质不是矛盾了吗？多别扭呀。

这好办。名字是我们取的。我们不会把立正叫做 1 吗？

对了。0 在加法中所扮演的角色，和 1 在乘法里所扮演的角色十分相像。任何数加 0 不变，乘 1 也不变。把两个口令连起来叫做相乘，立正便可以叫做 1。你看：

向右转 × 立正 = 向右转，

向左转 × 立正 = 向左转，

向后转 × 立正 = 向后转，

正好，任何数乘 1，仍然不变。

那另外 3 个口令取什么数做名字才恰当呢？

这也好办。

∵　向后转 × 向后转 = 立正，

∴　向后转^2 =1。

把向后转叫做 -1 再恰当没有了。$(-1)^2$，可不是等于1嘛。

这样

∵　向左转×向左转=向后转，

∴　向左转^2 = -1。

∵　向右转=向后转×向左转，

∴　向右转= $-1\times\sqrt{-1}=-\sqrt{-1}$。

你看，在这4个口令中，只要

立正=1。

我们就可以用乘法的运算规律算出：

向后转= -1，

向左转= $\sqrt{-1}$，

向右转 = $-\sqrt{-1}$。

真是妙得很。在这种算术里，-1 可以开平方了。$\sqrt{-1}$并不是不可捉摸的“虚数”。它的含意，不过是“向左转”罢了。

许多日常生活里的事情，都可以设法转化成算术问题来运算处理。用考试得的分数计算学习成绩，就是一个例子。

钟表和星期

在钟表的算术里:

6 +6 =0,

7 +6 =1,

3 -7 =8。

请你想一想，这些算式是什么意思呢?

因为钟表的12点就是0点，所以

6 +6 =12 =0; 7 +6 =1; 3 -7 =8。

还可以有星期的算术。

在这种算术里，星期一到星期六，分别用1到6代表，星期日用0代表。3+4=0的意思，是星期三再过4天便是星期日。按照这种解释，当然4+5=2了。星期四再过5天，可不就是星期二了。

这类算术，除了说说有趣之外，在数学里有用处吗?

有。用处还不小。

举一个例子。要判断一个正整数能不能被9整除，有一个简便的方法：把这个数的各位数字相加用9除，要是能整除，原数也能整除；否则，原数也不能整除。

111302154能不能被9整除?

1+1+1+3+0+2+1+5+4=18。

因为9能整除18，所以9也能整除111302154。

这里面的道理，就可以用钟表算术、星期算术来说明。

随便拿一个自然数，用9除，可能整除，也可能不行。不能整除的时候，可能余1，余2，直到余8。

所有的自然数，用9除余0的，叫做0类数，用9除余1的，叫做1类数，然后是2类数、3类数，一直到8类数。

这样，就把所有的数分成了9类：0，1，2，3，4，5，6，7，8，叫做以9为标准的9个同余类。

类与类之间可以相加：

3类数+5类数=8类数。

这很像通常的算术。可是，

7类数+2类数=0类数，

8类数+5类数=4类数。

也就是：

$7+2=0$，

$8+5=4$。

至于类之间的乘法，便有：

$3\times5=6$，

$6\times6=0$。

等等。用这种思想，很容易解释用9做除数时余数的速算问题。请你试一试。

你看，划分同余类，要是不以9为标准，而以12为标准，便得到钟表算术；以7为标准，便得到星期算术。

在放大镜下

比你还小的时候，我很喜欢玩放大镜。

放大镜下面的小虫，腿上的毛都看得一清二楚。它张牙舞爪，活像一个小妖精。

用放大镜看自己的皮肤，用放大镜看精致的邮票，用放大镜从太阳光里取火，都有趣得很。

那时候，放大镜不容易找到。我和小朋友找到了一些代用品：爷爷换下来的老花眼镜片啦，坏的电灯泡灌满了清水啦，都可以当放大镜玩。

有一次，我们正在玩，老师走过来问道："用放大镜看什么东西放不大呢？"

这一下把我们都问住了。放大镜还能放不大东西吗？

等到老师宣布角是放不大的，大家这才明白过来。你看，桌子的角是90°，在放大镜下面看，可不还是90°嘛。

这个问题你可能早已知道了。不少书上谈到它。不知道你有没有想过：在放大镜下面，什么东西能够放得特别大呢？

比如这是一个3倍的放大镜。也就是说，1厘米长的线，在适当的距离用这个放大镜看，就像有3厘米那么长。它能把什么东西放得比3倍更大呢？

请看看下面的图：

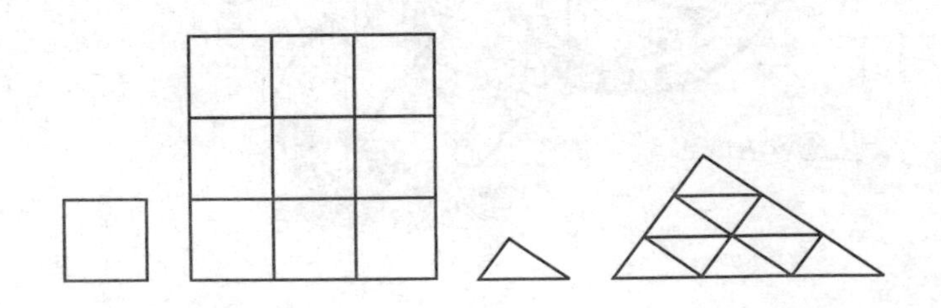

你从图上看得出来：在3倍的放大镜下面，正方形和三角形，它们的边长放大为原来的3倍，面积就变成了原来的9倍。

还有放得更大的东西吗？有。你看立方体的体积，这时是原来的 27 倍了：

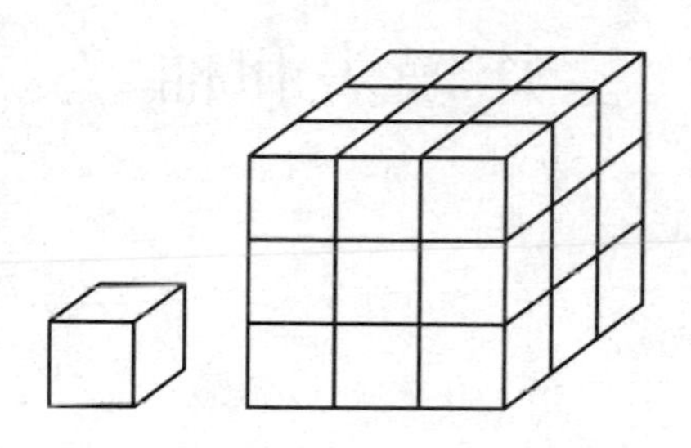

一般来说，在 k 倍的放大镜下面：

角度是原来的 1 倍，即 k^0 倍；

长度是原来的 k 倍，即 k^1 倍；

面积是原来的 k^2 倍；

体积是原来的 k^3 倍。

所以，我们可以把角度、长度、面积、体积，分别叫 0 次量、一次量、二次量、三次量。

这就是 1 尺等于 10 寸，1 平方尺等于 100 平方寸，而 1 立方尺竟然是 1000 立方寸的道理了。

炸馒头和桶

食堂里有时卖油炸馒头。

油炸馒头比普通馒头多用了油，所以要多收钱。1 两一个的油炸馒头多收 2 分钱，2 两一个的油炸馒头多收 4 分钱。这样的定价合理吗?

馒头的表面积越大，用油越多，用油量与表面积成正比。问题是2两一个的大馒头，表面积是1两一个的小馒头的2倍吗?

我们来算一算。大小馒头的形状差不多。小馒头按比例放大 k 倍便是大馒头。按上节所讲，得:

馒头的高度放大为 k 倍;

馒头的表面积放大为 k^2 倍;

馒头的体积（以及重量）放大为 k^3 倍。

现在，$k^3=2$，得 $k=\sqrt[3]{2}$，再得 $k^2=\sqrt[3]{4}$。查表，$\sqrt[3]{4}\approx1.6$。可见大馒头的表面积，不是小馒头的2倍，而是1.6倍不到一点。

算的结果，多收4分钱贵了。

食堂通常采用统一平衡盈亏的办法，这样的定价不算是什么缺点。不过，我们在别的地方遇到这类问题，也许就需要精打细算了。

举一个例子。这是一只铁皮水桶，它的容水量是7千克。现在，假设你要做一个一样形状的大桶，要求大桶的容水量是14千克，应当准备多少料呢?

根据前面的计算，大桶的铁皮用料，应当是小桶的$\sqrt[3]{4}$倍。

桶的形状和馒头不一样，为什么也是$\sqrt[3]{4}$倍呢?

我们来算算。设大桶桶口直径是小桶的 k 倍。那么，大桶的侧面积和底面积，都是小桶的 k^2 倍；大桶的容积，是小桶的 k^3 倍。

$\because\quad k^3=\frac{14}{7}=2$，得 $k=\sqrt[3]{2}$，

$\therefore \quad k^2=\sqrt[3]{2}\cdot\sqrt[3]{2}=\sqrt[3]{2\cdot 2}=\sqrt[3]{4}$。

长度、面积和体积的这种关系，叫做相似比原理。你可以用它来计算各种物体的体积和表面积，也可以用它来分析和说明许多自然现象。

云雾和下雨

有的地方多雾。

雾是什么？要是你以为雾是水蒸气，那就错了。雾是水，是很小很小的水滴，是悬浮在空气中的水滴。

雾是水滴，那为什么它不会掉下来呢？难道地心引力，对它不起作用了吗？

它太小了。

小，就不受地心的吸引力了么？伽利略在比萨斜塔上做过著名的落体实验：10 磅重的球和 1 磅重的球，不是同时落了地嘛。

地心引力对雾一样起作用。不过，这里面还有一层道理：空气对运动中的物体有阻力。当物体的形状和速度一定时，阻力和物体的表面积成正比。

物体越小，表面积越小，阻力也越小，不是仍然要落下去嘛。

你说得对。可是没有说周全。问题就出在不周全上。

你想，小水滴所受到的地心引力，是与它的质量成正比的；而质量，又是与它的体积成正比的。所以，水滴受的重力，与它的体积成正比。可是，阻力却与它的表面积成正比。

比如，水滴的直径缩小成为原来的$\frac{1}{10}$，那它的体积便成为原来的$\frac{1}{1000}$，而表面积是$\frac{1}{100}$。这就是说，当空气对小水滴的阻力变成原来的$\frac{1}{100}$时，重力却只有原来的$\frac{1}{1000}$了。相比之下，等于阻力增大了10倍。

所以，当水滴小到一定的程度，它所受到的阻力，便能接近它所受到的重力，使自己悬浮在空中，长久不落。

同样的道理，灰尘能在空中飞舞不落，金属的微粒也能在水中悬浮不沉。

高空中的云，就是随气流移动的水滴和冰晶。它们太小了，是掉不下来的。要是用飞机在云中喷上某些化学制品，能帮助小水滴和冰晶互相结合起来，越变越大。当水滴和冰晶的直径，增大到一定程度的时候（比如说增加到10倍，重力就变为1000倍，而空气阻力只增加到100倍），空气的阻力终于没有力量托住它们，它们便

从天上掉了下来。这就是人工降雨。

没有想到吧，数学上的相似比原理，居然和雾、云以及人工降雨有关系！

动物的大小

陆地上最大的动物是大象。

玩具厂把大象按比例缩小，缩小到老鼠那么大。可是，缩小到老鼠那么大的大象，它的腿还是比老鼠的腿粗得多。

大象的腿粗得不像话，太不成比例了，这是为什么呢?

腿是用来支持和移动身体的。它的粗细，和体重大体上是一致的。

要是把老鼠按比例放大，当它的高度变成原来的 100 倍，四条腿的截面只是原来的 10000 倍，而体积却是原来的 1000000 倍了。也就是腿的单位面积，要支持住的重量是原来的 100 倍。这样，它就无法站立起来，到处乱窜了。

同样的道理，要是象更大，它的腿必须更快地变粗，直到肚子下面长满了腿。四条腿粗到挤在一起，它也就无法活动了。

所以，陆地上最大的动物，要比海里最大的动物小得多。海里的蓝鲸有 170 吨重，而最大的非洲象只有 6 ~ 7 吨。因为鲸在水里，水可以负担它的体重。

至于能在空中飞的动物，更不可能有很大的体重。

蜜蜂的翅膀不算大，却能够长时间在花丛中飞来飞去。要是按比例把它的长度放大 10 倍，它的体重要增长 1000 倍，而翅膀的面积只增长 100 倍。这样，它就是拼命扑腾翅膀，也不能自由飞翔了。

别看黑壳子的甲虫笨头笨脑，因为它小，居然也能嗡嗡地乱飞。

麻雀的翅膀，在全身中所占的比例，就比蜜蜂或者甲虫大得多。更大的鸟，翅膀占全身的比例还要更大。最大的飞鸟，是非洲的柯利鸨，两翼展开有 2.5 米宽，而体重不过十几千克。相比之下，小小的身体，要为很大的翅膀提供营养，自然是困难的。所以，飞鸟就不可能很大了。

刚才说的是大，现在反过来说小。

昆虫可以很小。有一种叫做仙蝇的小甲虫，10 万只还不到 5 克重。

在哺乳动物里，可找不到这么小的。最小的哺乳动物鼩鼱重约 1.5 克。为什么不能更小一些呢？因为哺乳动物是热血动物，它必须保持体温。太小了，表面积相对地大，体积相对地小。这样，太小的热血动物，为了保持自己的体温，它就是不断地吃呀吃，也总会感到饿。这怎么活得了呢？

鸟类也是热血动物，所以也不可能有太小的鸟。最小的蜂鸟约重 2 克。别看它小，它的胃口特别好，得不停地吃。对比之下，作为冷血动物的鱼，可以很小。最小的矮鰕虎鱼，体重四五毫克，400 条这种鱼，才抵得上一只蜂鸟。

你看，数学上的相似比原理，它不声不响，在一切地方起作用！

看起来简单

苹果能从树上落到地上，为什么茶杯盖子不会掉到茶杯里去呢?

这是我国著名数学家华罗庚，在一次给中学生讲演中提到的问题。

你也许马上就会回答：这有什么值得一提的呢? 盖子比口大，当然掉不进去了。

确实，盖子比口小，它一定会掉进去。不过，比口大，是不是就一定掉不进去呢?

有一种长方形的茶叶盒，它的盖子是扁圆形的，比口大，可是一不小心，就会掉到盒子里去。这种茶叶盒，现在很少见到了。常见的正方形的茶叶盒，它的正方形的盖子，也会掉进去。

可见——大，并不是掉不进去的可靠根据。究竟掉不掉得进去？还得看形状，作一点具体分析。

通常，盖子和口的形状是一样的。

圆形的盖子，只要比口大，就不会掉进去。

正方形的盖子，比口大，就掉得进去。因为正方形的对角线，比它的边长得多，可以把盖子竖起来，沿对角线方向来放。

正三角形的边比较长，高比较短，可以把盖子沿着边往下放，也放得进去。

正六边形也应当是放得进去的。它的对角线，比两条平行边之间的距离要长，可以沿对角线的方向放进去。

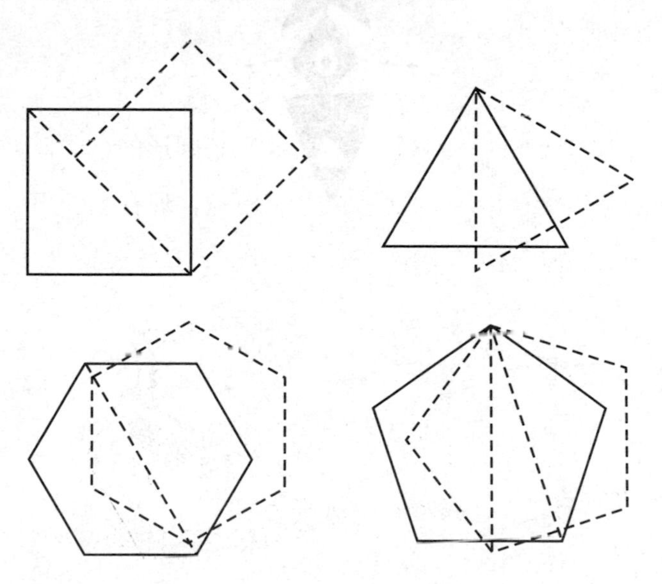

正五边形也可以放进去。因为它的对角线，也比它的高要长。

你可以证明：任意的正多边形盖子，要是它比口只大一点，就有可能掉进去。对于正三角形和正方形来说，这个一点可以大一些；对于边数很多的正多边形来说，这个一点必须很小。

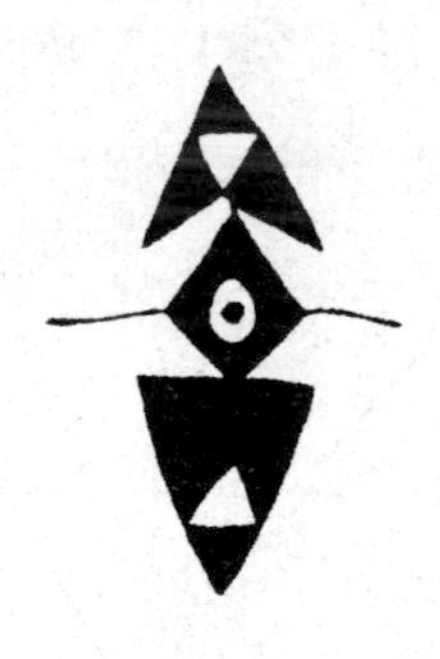

宽度和直径

任意多边形的盖子，形状千变万化，好像比正多边形难说清楚，其实也好说。

我们可以把这些盖子，看成是从一张张长方形的铁皮上剪下来的。这样，我们就可以把问题转化成铁皮至少要多宽了。

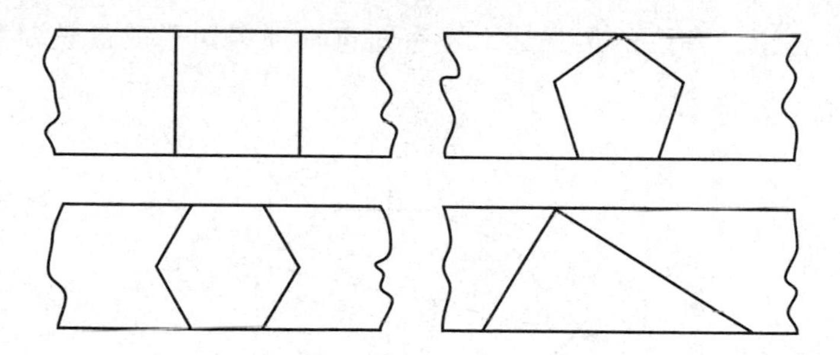

止万形的盖子，铁皮宽度至少是它的边长。正五边形和正六边形，你也不难从图上看出它们的宽度。对于任意三角形，铁皮的宽度至少是它的最小的高。

总之，每一个多边形都有它需要的铁皮宽度。

现在，我们丢开铁皮，设想从各个不同的角度，用两条平行直线来夹着任意的一个多边形。角度不同，夹着它的平行线之间的距离也不相同。当我们从某个角度来夹它时，所用的两条平行线之间距离最小，我们就把这个最小距离，叫做这个图形的“宽度”。

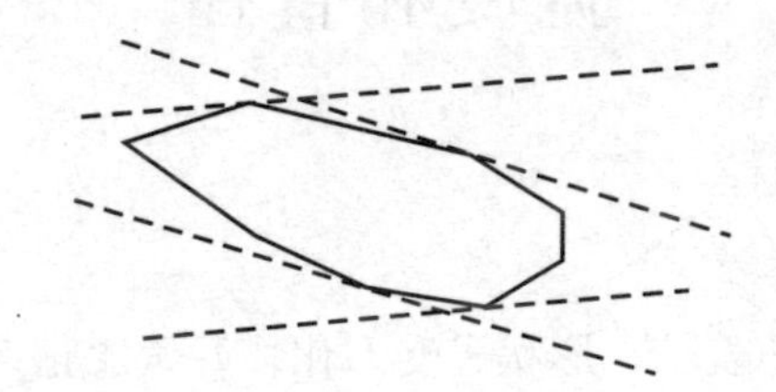

要是一个多边形的宽度为 5 厘米，那它一定可以画在 5 厘米宽的铁皮上，而不能画在更窄的铁皮上。

圆有直径。圆的直径是它的最长的弦。根据这个规定，我们也可以把任意三角形的最长边，还有任意其他多边形的最长对角线，都叫做“直径”。

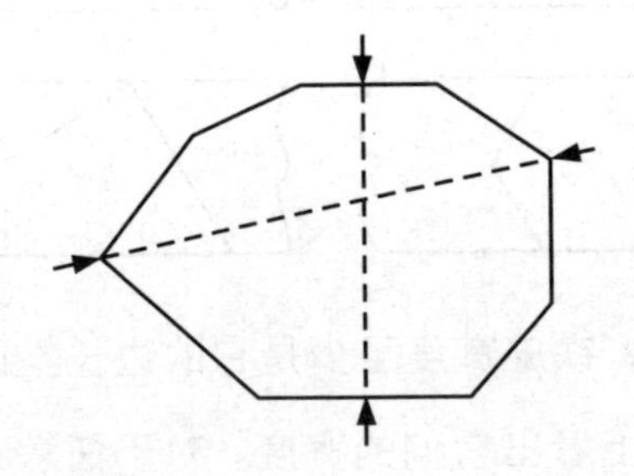

我们对任意多边形的宽度和直径有了认识，就可以得出结论说：要是盖子的直径大于宽度，那它就可能掉进盒子里去，否则不行！这就是一般的回答。

前面，我们只讨论了凸的图形。什么叫凸呢？凡是图形上任意两点的连接线段，都落在图形内，叫做凸的图形。圆、三角形、正方形，都是凸的。

下面的两个图形，就是不凸的图形：

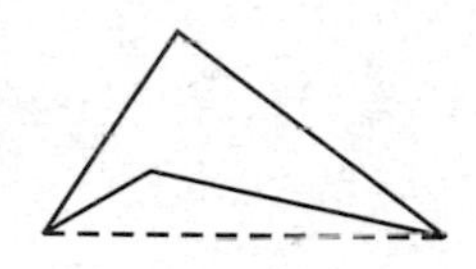

不凸的图形，形状又要复杂一些。请你想一想，这样的盖子会出现什么不同的情况呢？

常宽度图形

图形的宽度不可能比直径大。

要是图形的宽度和直径相等，那么，不论从什么方向用两条平行线来夹它，这两条平行线之间的距离都是一样的。这样的图形，叫做常宽度图形。

要是你想在铁皮上剪一片常宽度图形的铁片，不管怎样摆放图形，铁皮的宽度必须都一样。

不难证明，任意多边形都不是常宽度的。任意多边形的盖子，只要它是薄薄的，而且只比口大一点，就都可能掉到盒子里去。

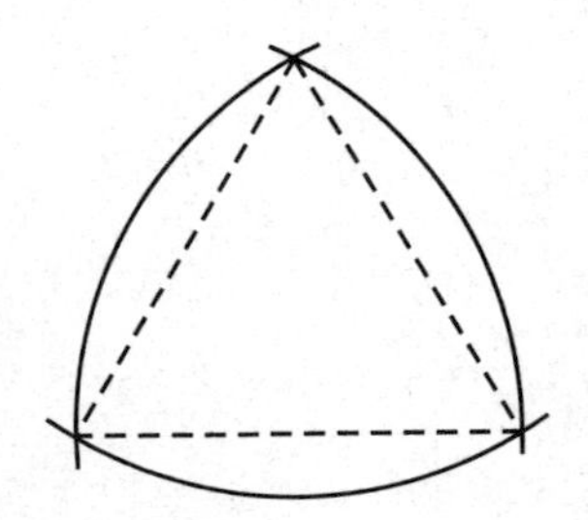

你也许会认为：要想盖子不掉进去，只有用圆形了。

别忙着下结论。三角拱形的盖子也掉不进去：

三角拱形是以正三角形的三顶点为心，以它的边长为半径画三段圆弧得到的。

请你想一想，为什么三角拱形是常宽度的呢?

常宽度的图形，有许多美妙的性质。不少人正在研究它。

除了圆和三角拱形之外，你还能想出别的常宽度图形吗?

思考题

1. 我们研究盖子问题的思路是这样的：

提出问题（为什么茶杯盖子掉不进去）；

考察一些比较简单的情况（三角形、正方形……）；

形成一般的概念（宽度和直径）；

得到一般的结果（回答最初的问题）；

进一步提出问题（常宽度图形）。

当你遇到一些智力游戏、有趣的习题以及生活中的数学问题，是不是也可以按这个思路去想呢?

2. 除了三角拱之外，还有一些常宽度图形。例如，正五角拱就是常宽度图形。它的作法是：分别以正五角星的顶点为心，再以对角线为半径画弧。这样的五段弧就拼成了一个正五角拱。它有点像圆，实际上不是圆。正七角、九角、十一角拱呢?

扩大养鱼塘

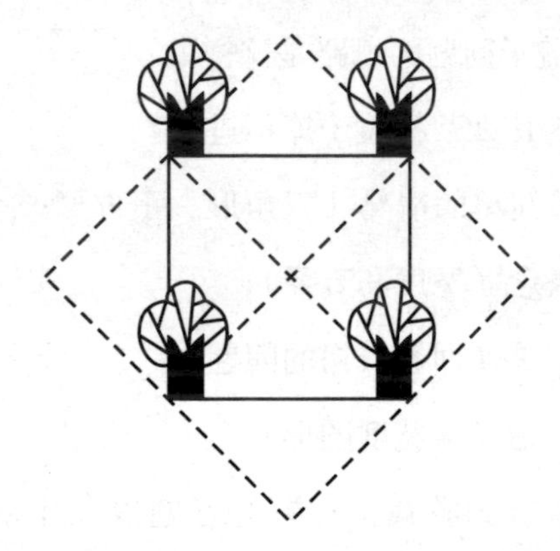

有一个正方形的养鱼塘，四个角各有一棵大树。生产队想把塘扩大，使它成为一个面积比原来大一倍的正方形，而又不愿意把树挖掉，应当怎么办呢?

你一定很快就找到了答案。不过，你不应当到此为满足。

要是要求新池塘面积比原来的 2 倍更大一点呢?

从图上的虚线可以看出，大正方形大出来的部分比小正方形要小，差了画有阴影的那么一块。这就是说，大正方形至多是小正方形的 2 倍，不可能再大一点了。

要是要求新池塘的面积是旧池塘的 r 倍，$1<r<2$，应当如何设计呢？

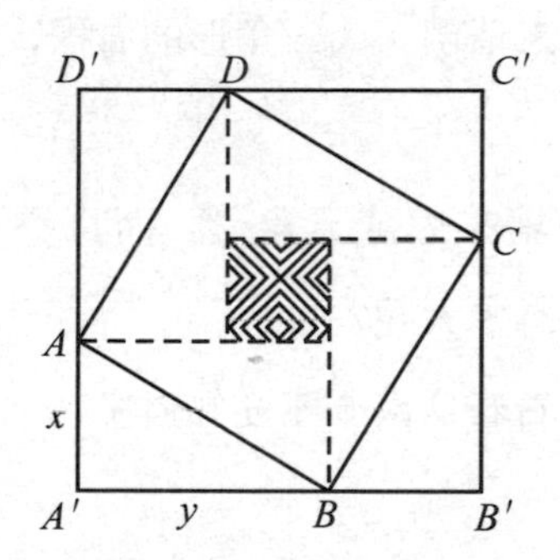

这个问题的关键，是找到 A'、B'、C'、D' 4 个点，而这 4 个点的找法是类似的，只要找到一个便好了。

比如想要找到 A'，关键是定出 x、y 的长度。这可以用勾股定理，列出方程来解。

要是把故事里的池塘改成正三角形，三个角上各有一棵树，不许把树挖掉，要把池塘扩大成更大的正三角形池塘，新池塘能够比旧池塘大多少呢？

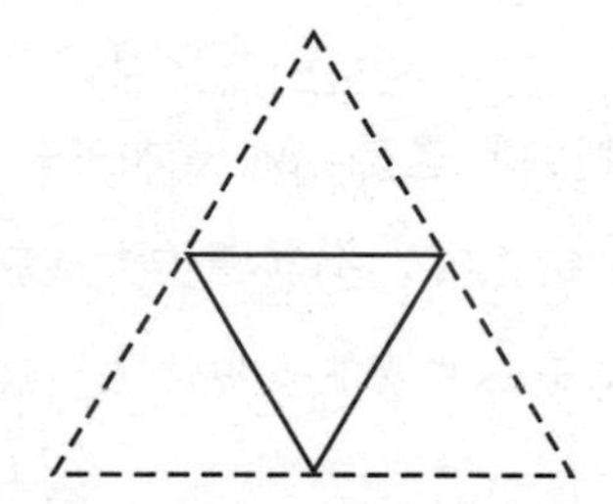

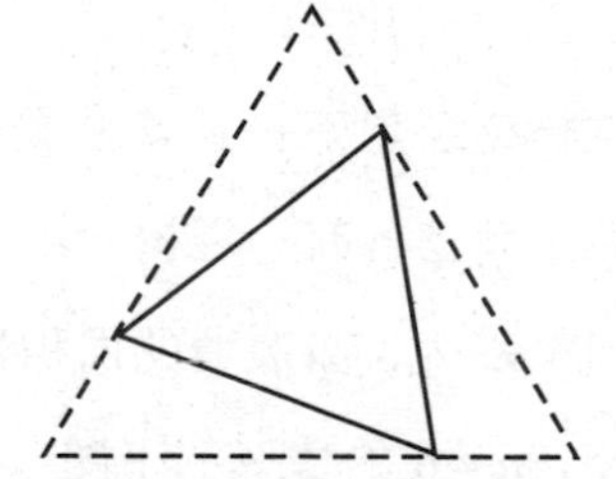

容易想到的是：新池塘可以比旧池塘大 3 倍，成为旧池塘的 4 倍。

这可以通过计算来证明：大三角形的面积，不会比小三角形的 4 倍更大。

要是把正方形池塘扩大成三角形，而且不限制三角形的形状，这个三角形的面积能有多大呢？

可以很大很大。看看这两个图便知道了：

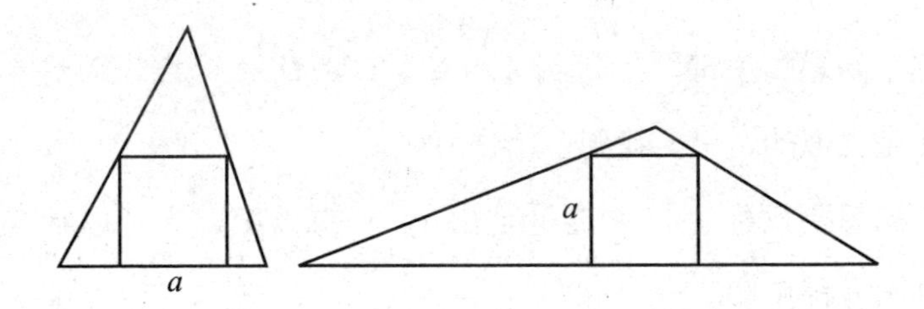

左边的三角形，底大于 a，而高可以很大很大；右边的三角形高大于 a，而底可以很长很长。所以，它们的面积可以很大很大。

有趣的是：这时候想要三角形池塘面积不太大，反倒办不到了。

照这样继续想下去，最容易想到的问题是：池塘本来是正 n 边形的，每个角上各有一棵树，不许把树挖掉，把池塘扩大成新的正 n 边形池塘，那么，新池塘的面积最多是旧池塘的多少倍呢？

$n=5$，$n=6$ 的情形如下图：

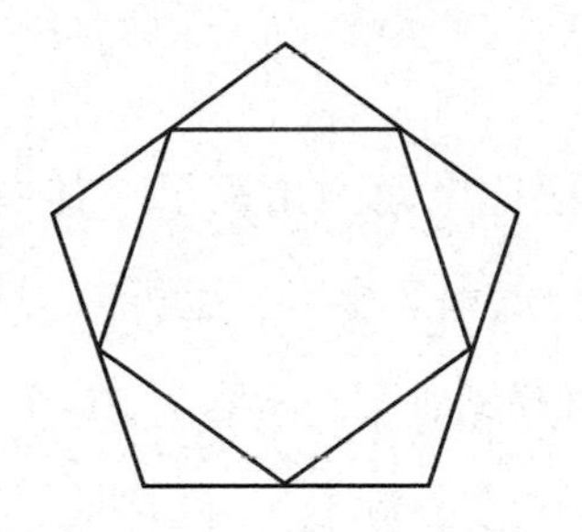
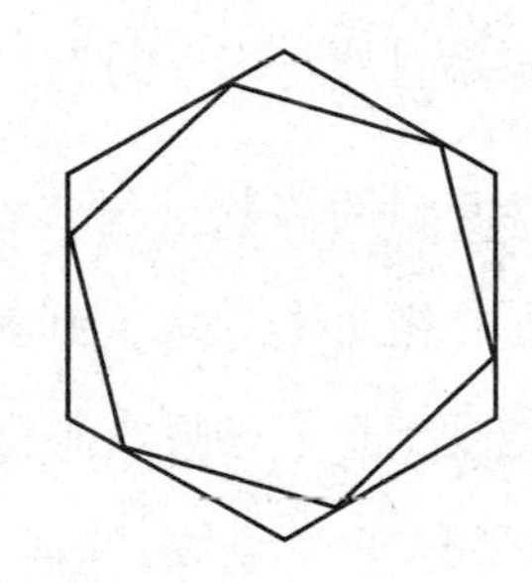

你看看，我们从一个简单的问题出发，通过类比和推广，引出了一串问题！在数学的花园里，常常有这样的小径，沿着它走向密林深处，说不定会看到另外的一番天地，那里也是一片万紫千红哩。

思 考 题

1. 在正方形内放一个正三角形，这个正三角形的面积最大是多少？这是1978年全国中学生数学竞赛第二试的最末一个题。

2. 在正方形内任取9个点，求证：其中必有3个点，所成的三角形的面积，不超过正方形面积的$\frac{1}{8}$。

这个题，曾在20世纪60年代被选为北京市的中学生数学竞赛题；后来，中国科技大学又用它作过少年班的招生测验题。这个题有点唬人，其实不难。

把正方形等分成4个小正方形，一定有3个点同在一个小正方形里；而这3个点构成的三角形，它的面积不会超过小正方形的一半，就是不超过原正方形的$\frac{1}{8}$。

报考少年班的多数同学，都把这个题做出来了。其中的一位，后来证明了：把9个点减少到8个点和7个点，也可以得到同样的结果。再减少到6个点呢？他没有找到答案。实际上，6个点也对。

要是再问“5个点呢?”答案是“不行了”。这就是说：在边长为1的正方形内，可以找到这样5个点，它们构成的10个三角形，每一个的面积都大于$\frac{1}{8}$！

用机器证题

初中同学中的“数学迷”，谁不喜欢几何哩。

几何证题，变化万千。看起来似乎难于下手的一个题，只要在图上添上适当的辅助线，往往便云开雾散，妙趣横生。

正因为几何证题变化万千，也就不好做。难就难在看不出一般的规律。

例如，已知在$\triangle ABC$中，$AB=AC$，求证$\angle B$、$\angle C$的平分线$BD=CE$。这只要证明$\triangle DBC\cong\triangle ECB$，问题便迎刃而解。可是，把已知和求证交换一下，这一换，问题就难多了。

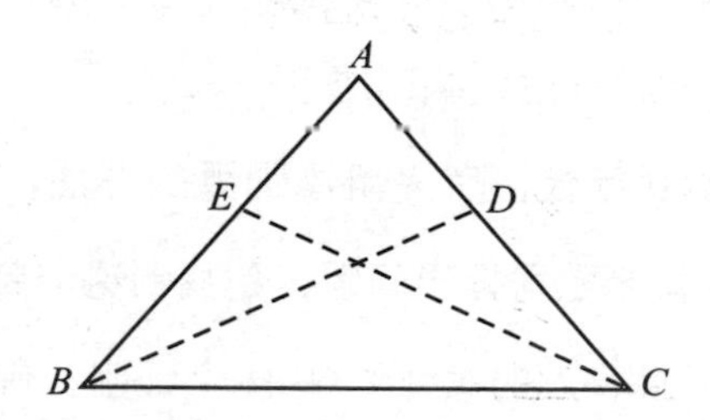

100 多年前，德国数学家雷米欧司，公开提出了这个问题。他说：几何题在没有证明出来之前，很难说它是难还是容易。等腰

三角形两底角的分角线相等，初中学生都会证。可是反过来，已知三角形的两条分角线相等，要证它是等腰三角形，可就不好证了。

后来，德国著名数学家史坦纳解决了这个问题，使它成为一个定理，叫做史坦纳—雷米欧司定理。

经过名人一做，这个问题也就出了名。有一个数学期刊，还曾经公开征求这条定理的证明，收到了形形色色的证法：经过挑选和整理，得到了60多种证法，编印成了一本书。

到了20世纪60年代，有人用添圆弧的办法，得到了一个十分简单的证法*。从雷米欧司提出问题，到找到这个简单的证明，竟用了100年之久；而且，人们找到了60多个证明，偏偏没有发现这个简单的证明。可见几何证题的变化，实在是太多了。

几何证题既然这么千变万化，人们自然会想：能不能找到一个固定的方法，不管什么几何题到手，都可以用这个方法一步一步地做下去，最后，或者证明它，或者否定它呢？

19 世纪和 20 世纪的大数学家希尔伯特证明：有一类几何命题，

可以用一种统一的方法，一步一步地得到最后解答。后来，数学家塔斯基证明：所有的初等几何命题，都可以用机械方法找到解答。可是，他的方法太复杂了，就是用高速电子计算机，也只能证明一些很平常的定理。

我国著名数学家吴文俊，提出了用机器证明几何定理的方法。他用到了我国古代的数学思想和方法。用这个方法，可以在计算机上证明许多相当复杂的定理，还能证明许多微分几何的定理。

用机器证明几何定理，主要的思路是用坐标方法，把几何问题转化成代数问题来解决。要是你有志将来研究这方面的问题，从现在起，就应该学好几何、代数和解析几何的基础知识。

* 思路如下：

用反证法。若 $\beta>\alpha$，过 B、E、C 作圆弧，交点 P 一定在 OD 内。（因 $\angle PCE=\alpha$）

于是 $\angle PCB=\angle PCE+\beta>2\alpha$，

$\therefore$ $PB>CE=BD>PB$，矛盾。（题设两分角线相等）

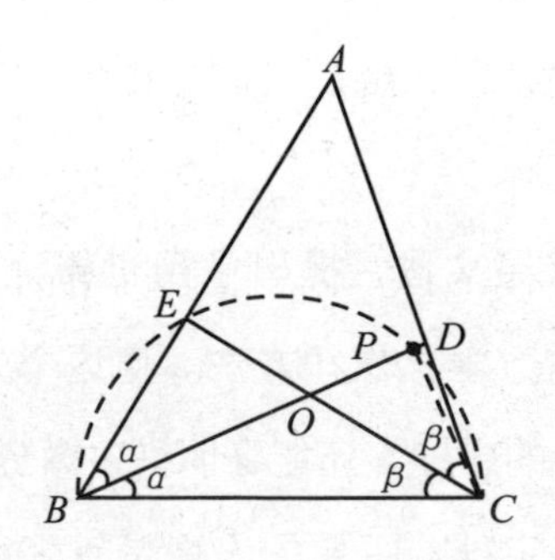

聪明的邻居

你看过“儿子分羊”的故事吗?

这个故事是在阿拉伯民间开始流传的。后来，它传到了世界各国，一次又一次地被编到各种读物中。

故事是这样的：从前有个农民，他有 17 只羊。临终前，他嘱咐把羊分给 3 个儿子。他说：大儿子分一半，二儿子分$\frac{1}{3}$，小儿子分

$\frac{1}{9}$，但是不许把羊杀死或者卖掉。3 个儿子没有办法分，就去请教邻居。聪明的邻居带了 1 只羊来给他们，羊就有 18 只了。于是，大儿子分$\frac{1}{2}$，得 9 只；二儿子分$\frac{1}{3}$，得 6 只；小儿子分$\frac{1}{9}$，得 2 只。3 个人共分去 17 只，剩下的 1 只，由邻居带了回去。

这个故事，构思巧妙，情节有趣，已经在全世界广泛流传千年之久了。

在流传中，人们有时把其中的数改变了，故事照样讲得通。我小的时候，就听到过类似的故事：农民不是有 17 只羊，而是有 11 匹马；他给 3 个儿子规定的分配方案是$\frac{1}{2}$、$\frac{1}{4}$和$\frac{1}{6}$。邻居牵来了 1 匹马之后，一共是 12 匹。于是，大儿子分到 6 匹，二儿子分到 3 匹，小儿子分到 2 匹。剩下的 1 匹，仍然可以还给邻居。

有没有不这么凑巧的情况呢?

我们来试试

模仿是学习的开始。

现在，让我们来改动一下这个故事里的数，看看结果会怎样呢?

假设农民还是有 17 只羊，还是给 3 个儿子分，还是大儿子分$\frac{1}{2}$，二儿子分$\frac{1}{3}$，只是小儿子不是分$\frac{1}{9}$，而是分$\frac{1}{6}$了。要是我学习故事中的邻居，牵了 1 只羊送去，结果呢?

结果是大儿子得 9 只，二儿子得 6 只，小儿子得 3 只。18 只羊给分光了，我损失了 1 只羊。

会不会发生相反的情况呢?会的。

假设农民对17只羊的分配方案是：大儿子$\frac{1}{3}$，二儿子$\frac{1}{6}$，小儿子$\frac{1}{9}$。要是你送1只羊去，大儿子的$\frac{1}{3}$是6只，二儿子的$\frac{1}{6}$是3只，小儿子的$\frac{1}{9}$是2只。这时，18只羊还剩下7只。你要牵走这7只羊，一定会发生一场纠纷。

可见，想要充当故事里的聪明角色，并不是那么容易的。模仿也得动脑筋，要先弄清道理，再精打细算，才能避免失败，免得叫人哭笑不得。

要是你忘记了农民有多少只羊，也记不清分配方案，又想向别人讲这个故事，应当怎样把这些失去了的数找回来呢？

列方程求解

你想到列方程了。这个办法好。

要列方程，得先把问题的数学意思，一条一条地弄清楚：

一、农民有 n 只羊。n 是未知的正整数。

二、农民要求大儿子分$\frac{1}{x}$，二儿子分$\frac{1}{y}$，小儿子分$\frac{1}{z}$。x、y、z 也是3个未知的正整数。在这3个未知数中，因为 $1>\frac{1}{x}>\frac{1}{y}>\frac{1}{z}$，所以 $1<x<y<z$。（要是 $x=1$，那大儿子一个人就会把所有的羊分走。）

三、牵来1只羊之后，羊就能够分配了。这就是说，x、y、z 都能整除 $n+1$。

四、3个儿子分过之后，还剩下1只羊。

根据这些条件，我们就可以来找等量关系，把方程列出来。

大儿子分了多少羊呢？分了 $n+1$ 的 x 分之一，即$\frac{n+1}{x}$。同样，二儿子和小儿子分别分到了$\frac{n+1}{y}$、$\frac{n+1}{z}$。3 个儿子共分了多少羊呢?当然是 n 只羊。

这样，我们就列出了方程:

$$\frac{n+1}{x}+\frac{n+1}{y}+\frac{n+1}{z}=n。$$

两边用 $n+1$ 除，得到

$$\frac{1}{x}+\frac{1}{y}+\frac{1}{z}=\frac{n}{n+1}=1-\frac{1}{n+1}。$$

移项，得到

$$\frac{1}{x}+\frac{1}{y}+\frac{1}{z}+\frac{1}{n+1}=1。$$

换个符号，设 $n+1=w$，得到

$$\frac{1}{x}+\frac{1}{y}+\frac{1}{z}+\frac{1}{w}=1。$$

这里，x、y、z、w 都必须是正整数，而且还得满足两个条件:

一个是 $1<x<y<z\leqslant w$，

一个是 x、y、z 都要能整除 w。

方程到手了。

这个方程，含有 4 个未知数，附加两个条件，是什么方程呀?

这种未知数个数比等式个数多的方程，叫做不定方程。不定方程常常带一些附加条件，作为求解的根据。

根据这个不定方程和它的两个附加条件，就是要找出 4 个正整数，它们的倒数凑起来恰巧是 1；而且其中有一个（w），是另外三个（x、y、z）的整倍数。

这样的方程好解吗？

其实并不难

看来似乎无法下手的问题，想清楚了，原来解题的思路很简单。

我们知道，报名参加跑 100 米的同学很多，举办单位就可以采用初赛、复赛的办法，来选拔优胜者。

解方程
$$\frac{1}{x}+\frac{1}{y}+\frac{1}{z}+\frac{1}{w}=1$$
也可以用这种方法。这就是先根据一部分条件，选出符合要求的；然后，再根据其他条件，淘汰不符合要求的，留下符合要求的。这样一步一步地选拔，最后就可以把 x、y、z、w 的值，全部求出来。这是解不定方程常用的方法。

好。我们分两步走，先找出那些使等式成立的正整数 x、y、z、w；然后，从中间再选，把那些满足 x、y、z 整除 w 的找出来。

你看，x 是大于 1 的正整数，它最小是 2。最小是 2，那最大是多少呢？x 越大，$\frac{1}{x}$就越小。因为 y、z、w 都比 x 大，所以$\frac{1}{y}$、$\frac{1}{z}$、$\frac{1}{w}$都比$\frac{1}{x}$小。不过，它们又不能太小，太小了，加起来就凑不够 1

了。一琢磨，$\frac{1}{x}$不能比$\frac{1}{3}$更小，也就是 x 不能大于3。

为什么呢？

$\because \quad x<y<z\leqslant w$,

$\because \quad \frac{1}{x}+\frac{1}{y}+\frac{1}{z}+\frac{1}{w}=1$,

$\therefore \quad \frac{1}{x}+\frac{1}{x}+\frac{1}{x}+\frac{1}{x}>\frac{1}{x}+\frac{1}{y}+\frac{1}{z}+\frac{1}{w}=1$。

$\therefore \quad \frac{4}{x}>1$，即 $x<4$。

这样，x 不是2，就是3 了。也就是说，想要故事讲得通，大儿子必须分到$\frac{1}{2}$或者$\frac{1}{3}$，不能再少了。

x 定下来，就只有3 个未知数了。

设 $x=2$，代入$\frac{1}{x}+\frac{1}{y}+\frac{1}{z}+\frac{1}{w}=1$,

得$\frac{1}{y}+\frac{1}{z}+\frac{1}{w}=\frac{1}{2}$。

根据刚才$\frac{1}{x}$不能太小的道理，$\frac{1}{y}$也不能太小。

$\because \quad y<z\leqslant w$,

$\because \quad \frac{1}{y}+\frac{1}{z}+\frac{1}{w}=\frac{1}{2}$,

$\therefore \quad \frac{1}{y}<\frac{1}{2}$，$\frac{3}{y}>\frac{1}{2}$。

$\therefore \quad 2<y<6$，即 $y=3$、4、5。

这样，当大儿子分$\frac{1}{2}$时，二儿子只能分$\frac{1}{3}$，或者$\frac{1}{4}$、$\frac{1}{5}$，不能再少了。

设 $x=3$，得$\frac{1}{y}+\frac{1}{z}+\frac{1}{w}=\frac{2}{3}$。

根据同样的道理，得

$\frac{3}{2}<y<\frac{9}{2}$，即 $y=2$、3、4。

$y=2$、3，就小于或者等于 x 了，不合题意，去掉，得 $y=4$。

按照这种办法，我们便可以一步一步，把各种可能的分配方案都找出来。

先想想再看

要是你已经求出全部的解，就不必再看这一节了。

这个不定方程有7组解。

找寻这些解的方法，可以用一棵“推理树”表示出来。树根就是$1<x<4$，树枝就是各种可能（见下页）。

树上5个虚线所指，或者因为$y=z$，或者因为w不是整数，或者因为z不能整除w，都不合题意，应该去掉。这样，我们就把这个故事的7种讲法，全部找出来了：

讲法	x	y	z	n
①	2	3	7	41
②	2	3	8	23
③	2	3	9	17
④	2	3	12	11
⑤	2	4	5	19
⑥	2	4	6	11
⑦	2	4	8	7

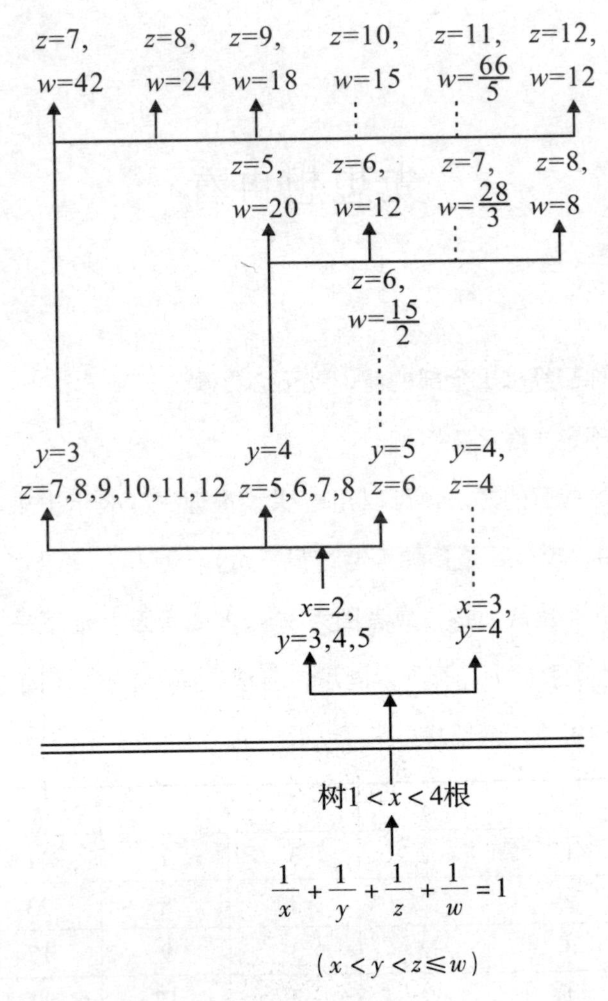

推理树简捷可靠，一目了然，所以有人又把它叫做“智慧树”。

这不算麻烦

你可能觉得这个题目太麻烦了。一个简单的智力游戏，要把它弄清楚，竟有这么多的歪拐曲折。

其实，这算不了什么。很多数学问题，比它要麻烦得多得多。

前面提到的我国数学家吴文俊，在一篇论文中提出了用机器证明几何题的方法。文章中用到了一个平面几何定理作为例题，光是这一个例题，他就演算了一个月之久。

1903 年，在纽约的一次科学报告会上，数学家科尔作了一次不说话的报告。他在黑板上算出了 $2^{67}-1$，又算出了 $193707721\times761838257287$，两个结果相同。他一声不吭地回到了座位上，全场响起了热烈的掌声。原来，他这就回答了一个 200 多年来没有弄清楚的问题：$2^{67}-1$ 是不是素数？他的演算证明了 $2^{67}-1$ 是一个合数。这个几分钟的无声报告，是他花了 3 年中的全部星期天得到的。

至于陈景润，为了研究哥德巴赫猜想，写了一麻袋一麻袋的草稿，这是我们早已知道的了。

所以，你碰到复杂的数学题，既要巧妙构思，寻找简捷的方法；又要步步为营，不怕反复计算。许多简捷的方法，就是人们经过大量的反复计算之后，才总结出来的。

思 考 题

假设故事中的农民有 4 个儿子，类似的问题该怎么解？要是邻居牵来 2 只羊，又该怎么办？

啤酒瓶换酒

儿子分羊的故事虽然有趣，但是在数学上，它并不合理。因为那位农民本来是要大儿子分 17 只羊的$\frac{1}{2}$，而不是 18 只羊的$\frac{1}{2}$。另外，3 个儿子分$\frac{1}{2}$、$\frac{1}{3}$和$\frac{1}{9}$，即使分的不是羊，而是别的东西，或者是钱，也不行。你看：

$$\frac{1}{2}+\frac{1}{3}+\frac{1}{9}=\frac{17}{18}。$$

可见 3 个儿子分完之后，总会剩下$\frac{1}{18}$。

这$\frac{1}{18}$给谁呢？那位农民没有交代清楚。不知道是不是他临终时头脑不够清楚，没有安排好呢？

这是个智力游戏，不算真正的数学。

不过，那位聪明的邻居先送去 1 只羊，后来又牵回去 1 只羊，这一借一还的妙法，对我们解决一些真正的数学问题，倒是很有启发和帮助的。

你看这个问题。某啤酒厂为了回收酒瓶，规定3个空瓶换1瓶酒。一个人买了10瓶酒，喝完之后，又拿空瓶换酒，问他一共可以再换到多少瓶的酒?

这个问题好解决。10个空瓶换回3瓶酒，还剩1个空瓶；喝完后，手里有4个空瓶，拿3个又换1瓶酒；喝完后，手里有2个空瓶。要是你以为用空瓶只能换回4瓶的酒，那就错了。

正确的答案是：他可以换回5瓶的酒。因为他只要找朋友借一个空瓶，凑够3个，换回1瓶酒；把酒喝掉，再把空瓶还给人家。所以，他买了10瓶酒，喝到了15瓶的酒。

再多借瓶子行不行呢？不行。为什么呢？原来这一借一还是有数学根据的：

∵　3个空瓶=1瓶酒，

∵　1 瓶酒 =1 个空瓶 +1 瓶的酒，

∴　3 个空瓶 =1 个空瓶 +1 瓶的酒，

∴　2 个空瓶 =1 瓶的酒。

你看，10 个空瓶，本来就应当换回不带瓶的 5 瓶酒。借个瓶子，一方面是为了合乎啤酒厂的规定；另一方面，也是说明问题的一个方法。

西瓜子换瓜

类似这样的问题是很多的。

在富饶美丽的新疆，那里盛产甜美可口的瓜果。有一种西瓜，叫做小子瓜，瓜子小得像麦粒，瓜甜得像放了蜜一样。为了大力发展这种优良品种，种瓜的单位决定回收瓜子，贴出了布告：

好消息

交回 1 斤瓜子，免费给 30 斤瓜，吃瓜请留子！

假设 10 斤瓜可以出 1 两瓜子，那么，买回 100 斤瓜，吃瓜留子，以子换瓜，反复地换，总共可以吃到多少斤瓜呢？

我们来算一算看。10 斤瓜出 1 两瓜子，按规定，可以换回 3 斤瓜。所以每斤瓜的瓜子，可换瓜 0.3 斤。

100 斤瓜的瓜子，可换瓜 30 斤；

30 斤瓜的瓜子，又换回瓜 $0.3\times30=9$ 斤；

9 斤瓜的瓜子，又换回瓜 $0.3\times9=2.7$ 斤；

2.7 斤瓜的瓜子，又换回瓜 $0.3 \times 2.7 = 0.81$ 斤；

……

我们要算的，就是这样没完没了的一串数的和：

$100 + 0.3 \times 100 + (0.3)^2 \times 100 + (0.3)^3 \times 100 + \cdots = 100(1 + 0.3 + 0.3^2 + 0.3^3 + \cdots)$

怎样把这一串没完没了的数加起来呢？

买瓜的顾客开动脑筋，想出了一个巧妙的办法，不但知道了买 100 斤瓜，实际上可以吃到多少瓜，而且当时就把瓜拿到手了。他说：

“同志，请记下账，多给我们一些瓜。多给的瓜，我们明天把瓜子送来抵偿。”

“应当多给多少呢？”

“再给我们 43 斤正好。”

“为什么呢？”

“143 斤瓜，可以出瓜子 1.43 斤。每斤瓜子换 30 斤瓜，1.43 斤瓜子，换 $1.43 \times 30 = 42.9$ 斤瓜。四舍五入，不是正好 43 斤嘛。”

“好。这是预支的 43 斤瓜。记住，吃完瓜把 1.43 斤瓜子送来。”

一场交易成功，双方满意。这

多给的43斤瓜是怎样算出来的呢？其实不过是解一个简单的方程：

设应当多给 x 斤瓜。那么，

$\because$ $(100+x)$ 斤瓜的瓜子可换回 x 斤瓜，

$\therefore$ $0.3\times(100+x)=x$。

$\therefore$ $x=\frac{300}{7}=42.857\cdots\approx43$（斤）。

回收破胶鞋

西瓜子换瓜，多一点少一点，问题不大。实际上，10 斤瓜，也很难说准出 1 两瓜子。不过，还有一些类似的问题却很重要，需要合情合理，一五一十，把它们算清楚。

举个例子。我们穿破了的胶鞋，可以卖给废品收购站，转工厂做再生橡胶鞋。假设一批胶鞋用 1 吨橡胶，充分回收破胶鞋后，可得到再生橡胶 0.4 吨，那么，反复回收，1 吨能顶几吨用呢?

回收橡胶不像回收瓜子。西瓜很快就可以吃完，胶鞋卖出去之后，要几年才能回到废品站，最好不要作无限次回收的打算。回收 10 次得几十年。计划要稳妥一点，假定回收 5 次好了。

按 1 吨回收 0.4 吨来算，5 次反复回收，共得:

$(0.4+0.4^2+0.4^3+0.4^4+0.4^5)$ 吨。

算这样的数，你也可以请方程来帮忙。

设 $0.4+0.4^2+0.4^3+0.4^4+0.4^5=x$,

得 $1+0.4+0.4^2+0.4^3+0.4^4=\frac{x}{0.4}$。

再得 $0.4+0.4^2+0.4^3+0.4^4=\frac{x}{0.4}-1$。

$\because \quad 0.4+0.4^2+0.4^3+0.4^4=x-0.4^5$,

$\therefore \quad x-0.4^5=\frac{x}{0.4}-1$。

解得 $x=0.4\cdot\frac{1-0.4^5}{1-0.4}\approx 0.66$(吨)。

你看，只要回收 5 次，1 吨橡胶就顶 1.66 吨用，效果不小。

字母代替数

喜欢数学的人，老是爱把一个问题中的具体数换成字母。代数代数，可不就是用字母代替数嘛。

为什么要这样呢？因为只有把那些可以代替任何数，而又不限于代替某个数的字母摆出来，才算是找到了公式或者规律。

你说“长为 2、宽为 3 的长方形面积为 6”，这不叫公式。要是

你说“长为 a、宽为 b 的长方形，它的面积 $S=ab$”，这就建立了一个公式。

你说“2+3 和 3+2 是一样的”，人家听了好笑。要是你说“$a+b=b+a$”，这可就是加法交换律了。

数与字母的关系，是个别与一般的关系。

你说“我昨天晚上刷了牙”，别人不会以为你有良好的卫生习惯。要是你说“我每天晚上刷牙”，那就完全不同了。

你有志学好数学，用好数学，那么，这种把数换成字母的本领，是断断不可少的。

刚才我们算出来的那个等式：

$0.4+0.4^2+0.4^3+0.4^4+0.4^5=x=0.4\cdot\dfrac{1-0.4^5}{1-0.4}$ 要是把其中所

有的0.4，都换成字母 a，就得到：

$$a+a^2+a^3+a^4+a^5=a\cdot\frac{1-a^5}{1-a}。$$

这个等式的两边都有因子 a，约掉它，得到一个公式：

$$1+a+a^2+a^3+a^4=\frac{1-a^5}{1-a}。$$

这个公式对不对呢？你可得检验一下才好。因为把数换成字母，和把字母换成数是不一样的。

一个用字母表示的公式或者恒等式，把字母换成合乎要求的数，它总是对的。可是，把两边同样的数换成同样的字母，就不一定对的。比如：

$$3+2=7-2$$

是个恒等式。把两边的 2 换成 b，得到的

$$3+b=7-b$$

就不再是恒等式了。

该怎么办呢

我们刚才用字母换出来的等式

$$1+a+a^2+a^3+a^4=\frac{1-a^5}{1-a}$$

究竟对不对，有两个检查的方法：

一个方法是“顺藤摸瓜”，在最早的式子中，就用 a 代替 0.4；然后依样画葫芦地推，要是能推出同样的结果来，那当然就对了。

你看，我们原来是从设

$$0.4+0.4^2+0.4^3+0.4^4+0.4^5=x$$

开始的。现在，就设

$$a+a^2+a^3+a^4+a^5-x,$$

然后一步一步地照推不误：

两边除 a，得 $1+a+a^2+a^3+a^4=\frac{x}{a}$，

移项，得 $a+a^2+a^3+a^4=\frac{x}{a}-1$，

根据所设，得 $x-a^5=\frac{x}{a}-1$，

所以 $x-\frac{x}{a}=a^5-1$。

只要 $a\neq1$，可以解出 $x=a\cdot\frac{a^5-1}{a-1}$，

也就是 $a+a^2+a^3+a^4+a^5=a\cdot\frac{1-a^5}{1-a}$。

另一个方法是“不纠缠老账”，直接验算等式的两边是不是一回事。在等式

$$1+a+a^2+a^3+a^4=\frac{1-a^5}{1-a}$$

中有分式，比较讨厌，化成整式来检查，看是不是有

$$(1-a)(1+a+a^2+a^3+a^4)=1-a^5。$$

果然：

$$(1-a)(1+a+a^2+a^3+a^4)$$
$$=1+a+a^2+a^3+a^4-a-a^2-a^3-a^4-a^5$$
$$=1-a^5。$$

这种办法比较干脆。可是，你要先找到了等式，然后才能验证。怎么找等式？那你还得要用头一个方法。

再前进一步

可不可以把这个恒等式中的 a^4 的 4 和 a^5 的 5，也换成字母呢？可以。

你自己细心算一算，便会发现，果然有：

$(1-a)(1+a+a^2+a^3+a^4+a^5)=1-a^6$，

$(1-a)(1+a+a^2+a^3)=1-a^4$，

……

总之，对一切自然数 n，有

$(1-a)(1+a+a^2+\cdots+a^n)=1-a^{n+1}$。

当 n 是 2 和 3 时，便得到了你熟悉的因式分解公式：

$(1-a)(1+a)=1-a^2$，

$(1-a)(1+a+a^2)=1-a^3$。

以后，当你做完一个题目的时候，不妨进一步想想：题目中的一些数，要是能换成字母，又能得到什么结论呢？这样，你做了一个题目之后，便会做一堆类似的题目了！

猴子分桃子

这里有一大堆桃子。这是 5 只猴子的公共财产。它们要平均分配。

第一只猴子来了。它左等右等，别的猴子都不来，便动手把桃子均分成 5 堆，还剩了 1 个。它觉得自己辛苦了，当之无愧地把这 1 个无法分配的桃子吃掉，又拿走了 5 堆中的 1 堆。

第二只猴子来了。它不知道刚才发生的情况，又把桃子均分成 5 堆，还是多了 1 个。它吃了这 1 个，拿 1 堆走了。

以后，每只猴子来了，都是如此办理。

请问：原来至少有多少桃子？最后至少剩多少桃子？

据说，这个问题是由物理学家狄拉克提出来的。1979 年春天，美籍物理学家李政道，在和中国科学技术大学少年班同学座谈时，也向他们提出过这个题目。当时，谁也没有能够当场作出回答，可见这个题目有点难。

知难而进。你能解这个题目吗？

动脑又动手

做数学题目，光凭脑子想，是不容易找到方法和得到结果的。

好。我们一起来动手写写算算吧。

设原有桃 x 个，最后剩下 y 个。那么，每一只猴子连吃带拿，得到了多少桃子呢?

第一只猴子吃了 1 个，又拿走了（$x-1$）个的$\frac{1}{5}$，一共得到$\frac{1}{5}(x-1)+1$ 个。它走了，这里留下的桃子还有 $x-\left[\frac{1}{5}(x-1)+1\right]$个，也就是$\frac{4}{5}(x-1)$个。

第二只猴子连吃带拿，得到了$\frac{1}{5}\left[\frac{4}{5}(x-1)-1\right]+1$ 个桃子。

当第三只猴子来到时，这里还有$\frac{4}{5}\left[\frac{4}{5}(x-1)-1\right]$，也就是又从原数中减 1 乘$\frac{4}{5}$。

现在，我们找到解题的思路了：每来一只猴子，桃子的数目就来个变化——减1乘$\frac{4}{5}$。当第五只猴子来过后，我们已对x进行5次这样的减1乘$\frac{4}{5}$了。

注意：在写的时候，每减1之后，要添个括号，再乘$\frac{4}{5}$。这样5次之后，便得到了y。所以，

$$y=\frac{4}{5}\left\{\frac{4}{5}\left[\frac{4}{5}\left[\frac{4}{5}\left[\frac{4}{5}(x-1)-1\right]-1\right]-1\right]-1\right\}。$$

这一堆符号，可真叫人眼花缭乱。要是你耐着性子，一步一步整理，应当得到$y=\frac{1024}{3125}(x+4)-4$这样的一个等式，也就是

$$y+4=\frac{1024}{3125}(x+4)=\frac{4^5}{5^5}(x+4)。$$

从这个式子里，我们不能断定x和y是多少。不过，因为x和y都是正整数，而4^5和5^5的最大公约数是1，所以$(x+4)$一定可以被5^5整除。

这样，我们就可以算出x至少是$5^5-4=3121$；而y至少是$4^5-4=1020$。

方法靠人找

要是你问这五只猴分桃，有没有简单一点的算法呢？回答是有。

狄拉克本人，就提出过一个简单的巧妙解法。据说，数学家怀德海，也提出了一个类似的解法。

奇怪的是：狄拉克和怀德海都没有想到，这个问题还有一个十分简单的解法。它只用到一点算术知识，是小学生也能算出来的。

这个简单的解法，它的思路是从前面儿子分羊来的，又是先借后还！

桃子不是分不匀，总要剩下 1 个吗？问题的麻烦，就是因为多了 1 个桃子。

好。你来扮演一个助猴为乐的角色，借给猴子 4 个桃，这不就可以均分成 5 堆了嘛。反正最后还剩 1 大堆，你拿得回来的。

现在，让 5 只猴子再分一次。

桃子虽然多了 4 个，可是第一只猴子并没有从中捞到便宜。因为这时桃子正好可以均分成 5 堆，它拿到的 1 堆，恰巧等于刚才你没有借给它们4 个桃子时，它连吃带拿的数目。

这样，当第二只猴子到来时，桃子的数目，还是比你没借给它们时多了4 个，又正好均分成5 堆。所以，第二只猴子得到的桃子，也不多不少，和原来连吃带拿一样多。

第三、第四、第五只猴子到来时，情况也是这样。

5 只猴子，每一只都恰好拿走当时桃子总数的$\frac{1}{5}$，剩下$\frac{4}{5}$；而开始的时候，桃子的数目是 $x+4$（加上了你借给它们的 4 个）。这样到了最后，便剩下$\left(\frac{4}{5}\right)^5(x+4)$个桃子，这比剩下的 y 个多 4 个。所以得到

$$y+4=\left(\frac{4}{5}\right)^5(x+4)。$$

和刚才的结论一样。

因为 $y+4$ 是整数，所以右边的 $(x+4)$ 应当被 5^5 整除。这样，由 $(x+4)$ 至少是 $5^5=3125$，得 x 至少是 3121；y 至少是 $4^5-4=1020$。

同样的结论，可是得来全不费功夫！

问个为什么

题目做出来了。你不妨再想一想：这一借一还，究竟是怎么回事呢？为什么一下子就把问题简化了呢？

关键在于，猴子每来一次，桃子的数目发生了什么变化？

在你没有借给它们 4 个桃子的时候，那情况是：每来一只猴子之后，桃子数就减 1，再乘$\frac{4}{5}$；来 5 只猴子之后，就等于对 x 进行 5 次减 1，乘$\frac{4}{5}$。

你看，减 1，乘$\frac{4}{5}$；再减 1，乘$\frac{4}{5}$；再减 1，乘$\frac{4}{5}$；再减 1，乘$\frac{4}{5}$；再减 1，乘$\frac{4}{5}$，这一串运算多麻烦。

要是你先借出 4 个桃子，使每一只猴子来拿走$\frac{1}{5}$，然后你再把 4 个桃子拿回来，结果，和前面的计算结果完全一样。这个过程，相当于对桃子数目加 4，乘$\frac{4}{5}$，减 4。也就是减 1，乘$\frac{4}{5}$，相当于加 4，

乘$\frac{4}{5}$，减4。用字母表示，就是

$$\frac{4}{5}(x-1)=\frac{4}{5}(x+4)-4。$$

不信，你算一算，两边确实是恒等的。

这样看来，猴子每来一次，桃子数的变化有两种计算方法：一种是减1，乘$\frac{4}{5}$；另一种是加4，乘$\frac{4}{5}$，减4。

后一种计算方法是3步，好像更麻烦了。其实，多次连续进行计算，就显出它的优越性来了。你看：

加4，乘$\frac{4}{5}$，减4；加4，乘$\frac{4}{5}$，减4；加4，乘$\frac{4}{5}$，减4；加4，乘$\frac{4}{5}$，减4；加4，乘$\frac{4}{5}$，减4。这中间有四次减4、加4互相抵消，总效果是：

加4，乘$\frac{4}{5}$，乘$\frac{4}{5}$，乘$\frac{4}{5}$，乘$\frac{4}{5}$，乘$\frac{4}{5}$，再减4。这是一个很好算的过程，那结果，可以一下子写出来：

$$y=\left(\frac{4}{5}\right)^5(x+4)-4。$$

像这样把一个运算过程，变成另一个形变值不变的运算过程，在数学上叫做相似方法。

思 考 题

1. 设有 m 个桃子，k 只猴子，每只猴子来到之后，把桃子分成 k 堆，还剩下 r 个，它吃掉 r 个之后，又拿走了一堆。这样 k 只猴子都来了之后，至少还有多少桃子？

2. 桌子上有一壶凉开水，其中放了50克糖。一个孩子跑来，把糖水倒出一半喝掉，添上30克糖，加满水，和匀，走了。这样来过5个孩子之后，壶里还有多少糖？来过很多孩子之后，壶里的糖能增加到100克吗？

巧用加和减

说起来叫人难以相信。和牛顿同时创立微积分的大数学家莱布尼兹，有一次，竟被一道简单的因式分解题难住了。这个题目是：把 x^4+1，分解成两个二次多项式的乘积。

你会做这个题目吗?

要是你一时分解不出来，请想一下，用配方法分解二次多项式是怎么做的。例如：

$$x^2-6x-1$$

$$=x^2-6x+9-9-1$$

$$=x^2-6x+9-10$$

$$=(x-3)^2-(\sqrt{10})^2$$

$$=(x-3+\sqrt{10})(x-3-\sqrt{10})。$$

做这个题目的关键，是加 9 又减 9。加 9，是为了凑成完全平方式；减 9，是为了保证式子的值不改变。这一加一减，变换了代数式的形式，解决了问题。

配方，不限于配常数项，也可以配一次项，配二次项。莱布尼兹没有做出的那个题目，就是用一加一减的配方法解决的。你看：

$$
\begin{aligned}
&x^4+1\\
&=x^4+2x^2+1-2x^2\\
&=(x^2+1)^2-(\sqrt{2x^2})^2\\
&=(x^2+1+\sqrt{2x^2})(x^2+1-\sqrt{2x^2})\\
&=(x^2+\sqrt{2}x+1)(x^2-\sqrt{2}x+1)。
\end{aligned}
$$

为什么这道题难住了莱布尼兹，却难不倒我们呢？原因很简单。我们把前人千辛万苦积累起来的知识，通过课堂和课外学习，用比较少的劳动就拿到了手。我们是站在前人的肩上的，所以显得比前人高。

思 考 题

$x^2-a^2=(x+a)(x-a)$，是一个很重要、很有用的公式。在数学课上，我们是展开右边得到左边的式子的。你能用一加一减的办法，由左边得到右边吗？

二次变一次

一元二次方程和二元一次方程，是两种不同的方程。

你相信吗？用一点一加一减的技巧，我们就可以把一元二次方程变成为二元一次方程。

设一元二次方程

$$x^2+px+q=0$$

的两个根是 x_1 和 x_2。根据根与系数关系的韦达定理，有：

$$x_1+x_2=-p。 \tag{1}$$

要是再找出 x_1-x_2，不就可以列出一个二元一次方程组了吗？

利用差的平方公式和一加一减的技巧，得：

$$\begin{aligned}&(x_1-x_2)^2\\=&x_1^2-2x_1x_2+x_2^2\\=&x_1^2+2x_1x_2+x_2^2-2x_1x_2-2x_1x_2\\=&(x_1+x_2)^2-4x_1x_2。\end{aligned}$$

代入 $x_1+x_2=-p$，$x_1x_2=q$，

得$(x_1-x_2)^2=p^2-4q$，

即$x_1-x_2=\pm\sqrt{p^2-4q}$。　(2)

把（1）和（2）联立，正好是一个二元一次方程组。你把它解出来，恰好得到二次方程的求根公式！

原来，数学的花园到处是连通的，我们经常可以从不同的出发点，走到同一个地方去。你这样多走一走，熟悉这个花园，也就会更加喜欢这个花园。

0这个圈圈

前面讲儿子分羊，用到了分子是1的分数。这种分子是1的分数，叫做埃及分数。

古埃及人只用这种分数。碰上$\frac{2}{5}$，他们就用$\frac{1}{3}+\frac{1}{15}$来表示；碰上$\frac{3}{7}$，他们就用$\frac{1}{4}+\frac{1}{7}+\frac{1}{28}$，或者用$\frac{1}{6}+\frac{1}{7}+\frac{1}{14}+\frac{1}{21}$来表示。

现在，有这样99个埃及分数：

$\frac{1}{2}$，$\frac{1}{3}$，$\frac{1}{4}$，$\frac{1}{5}$，$\frac{1}{6}$，…，$\frac{1}{99}$，$\frac{1}{100}$。

你能够在二三十分钟之内，从中挑出10个，使这10个不同的埃及分数的和等于1吗?

要是你没有一定的方法，光靠碰运气，一定会一次又一次地失败的。

要是你想到了一加一减，便有一个巧妙的方法：

$$1=1-\frac{1}{2}+\frac{1}{2}-\frac{1}{3}+\frac{1}{3}-\frac{1}{4}+\frac{1}{4}-\cdots-\frac{1}{9}+\frac{1}{9}-\frac{1}{10}+\frac{1}{10}$$

$$=\left(1-\frac{1}{2}\right)+\left(\frac{1}{2}-\frac{1}{3}\right)+\left(\frac{1}{3}-\frac{1}{4}\right)+\cdots+\left(\frac{1}{9}-\frac{1}{10}\right)+\frac{1}{10}$$

$$=\frac{1}{2}+\frac{1}{6}+\frac{1}{12}+\frac{1}{20}+\frac{1}{30}+\frac{1}{42}+\frac{1}{56}+\frac{1}{72}+\frac{1}{90}+\frac{1}{10}。$$

这样，一件看来难于做到的事，轻而易举地便成功了。

为什么一加一减的方法这样有用呢?

一加一减等于0。各种各样的一加一减，便是0的各种各样的表现形式。

你不要小看了0这个圈圈，这一圈，可就圈进了代数里的一切恒等式。把一个恒等式移项，便得到一个恒等于0的代数式。所以，我们可以把任何样子的一个恒等式，看成是0的一种表现形式。

$$(x+y)^2=x^2+2xy+y^2$$

可以写成

$$(x+y)^2-x^2-2xy-y^2=0。$$

$$x^2-y^2=(x+y)(x-y)$$

可以写成

$$(x+y)(x-y)-x^2+y^2=0。$$

你看，形式变了，本质总是0。

各种各样的恒等式变形，正是代数学所要研究的重要内容。这样，我们就可以说：代数学的重要内容，是研究0的各种表现形式！

解方程，可以把方程的各项移到左边，右边是个0；找到了未知数，便是找到了0的一个特定的表现形式。

恩格斯说："0比其他一切数都有更丰富的内容。"

0如此重要，有趣的是，从人类开始使用数字到发明0这个记号，竟用了5000多年之久。这大概是你想不到的吧。

思考题

利用一加一减的方法，计算：

$$1^2+2^2+3^2+\cdots+100^2=?$$

有名的怪题

有这么一个故事，曾经在一些国际数学家聚会中流传。他们把这个故事里提出的问题，叫做“看来几乎无法回答的问题”。

现在，我把这个故事写在下边，作一些分析说明。

有一个一元二次方程。它的两个根都是大于 1 的正整数，而且两根的和不超过40。这个方程写出来是:

$x^2-px+q=0$。

(纸上 p、q 处写的是数。)

有人把写有这个方程的纸条从中间撕开，把带有数 p 的一半给了数学家甲，把带有 q 的另一半给了外地的数学家乙。

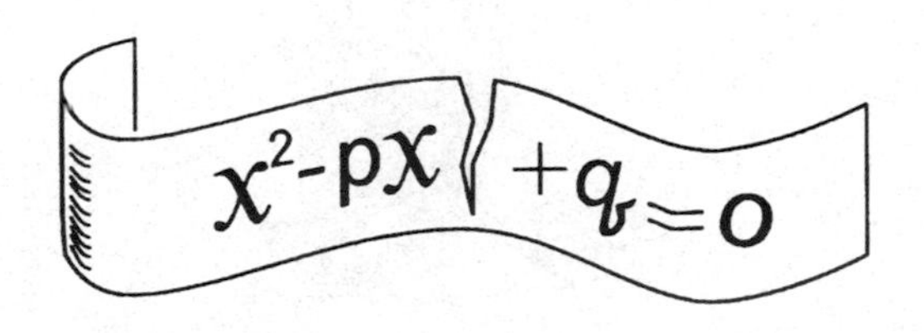

于是，甲知道了两根的和（p），乙知道了两根的积（q）。

过了一会儿，甲打电话告诉乙说：“我断定，你一定不知道我手中的 p 。”

又过了一会儿，乙回电话说：“可是，我已经知道你的 p 是多少了。”

又过了一会儿，甲回电话说：“我也知道你的 q 了。”

请问：这个方程的两个根是什么?

这个问题，怪就怪在没有已知数，好像很难。其实，仔细看明问题，经过一番分析，用算术知识便能解答。

关键在于：甲所说的“你一定不知道我手中的 p”意味着什么。

它意味着：p 一定不能写成两个素数的和。

因为 $p=a+b$，要是 a、b 都是素数，那么，乙手中拿到的 q，就有可能是 ab；要是 $q=ab$，q 就只有一种分解因子的方法，乙便知道甲手中的 p 了。

注意！甲断定，乙一定不知道 p 。这就是说：乙手里拿的 q，一定不是两个素数的积。也就是说：甲自己拿到的 p，不是两个素数的和。

这样，乙就可以一个一个地检查，在 4 到 40 之中，把不能分成两个素数的和的数，全部找出来。它们是：

11、17、23、27、29、35、37。

现在，乙已经知道甲手中的 p 不外乎是这 7 个数了。

那么，甲、乙手里是什么数时，乙能准确地说出甲手中的 p，同时甲又能准确地说出乙手里的 q 呢?

先看 11。

要是乙手里是 18、24 或者 28，那么，因为

$18=2\times9=3\times6$，只有 $2+9$ 在这 7 个数之中；

$24=3\times8=2\times12=4\times6$，只有 $3+8$ 在这 7 个数之中；

$28 = 4 \times 7 = 2 \times 14$，只有 $4 + 7$ 在这 7 个数之中。

可见，乙手里拿到 18、24 或者 28，都能断定甲手中是 11；可是这时，甲却不能断定乙手里是 18，还是 24，还是 28。

所以，甲手里不是 11。

再看 23。

$130 = 10 \times 13 = 5 \times 26 = 2 \times 65$，只有 $10 + 13$ 在这 7 个数之中；

$126 = 14 \times 9 = 7 \times 18 = \cdots\cdots$只有 $14 + 9$ 在这 7 个数之中。

可见乙手里拿到 130 或者 126，都能断定甲手里是 23；可是这时，甲却不能断定乙手里是 130，还是 126。

所以，甲手里不是 23。

同样的道理，甲手里不是 27，不是 29，不是 35，不是 37。最后，只剩下一种可能：甲手里拿到了 17。

甲手里的 p 是 17，乙手里可能拿到：

$30 = 2 \times 15$，$42 = 3 \times 14$，$60 = 5 \times 12$，$66 = 6 \times 11$，

$70 = 7 \times 10$，$72 = 8 \times 9$，$52 = 4 \times 13$。

要是乙拿到 30，$30 = 5 \times 6$，$5 + 6 = 11$，乙就不能断定甲拿到的是 11，还是 17。

所以，乙拿到的不是 30。

同样的道理，乙拿到的不是 42，不是 60，也不是 66、70、72。最后，只剩下一种可能：乙拿到的是 52。

$52=4\times13=2\times26$。因为 $2+26=28$，不在这 7 个数之中，所以乙可以断定甲拿到了 17。

结果，这个方程的两个根是 4 和 13。

以上解决问题的方法叫做枚举法，又叫做穷举法，就是把各种可能加以分析，从中找出解答。

许多实际问题，现在只能用枚举法来解决，这是无可奈何的办法。所以，它也可以算是一种解题的好办法。

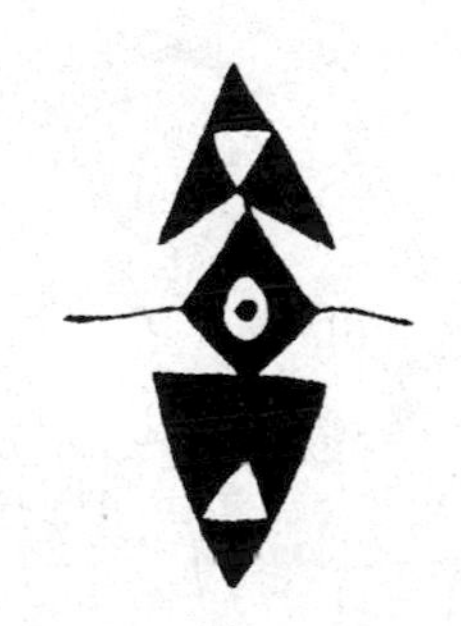

你的脸在哪里

记得我 6 岁的时候，姑姑问我一个怪问题：“你知道你的脸在哪里吗?”

我想，这还会不知道，用手朝脸上一指说：“这不是嘛。”可是她摇摇头说：“那是鼻子。”

于是，我把手指挪了个地方，可是她说：“那叫腮帮子，不是脸。”

我把手指往旁边挪一下，她说："那是嘴巴。"往上挪呢，她说："那是眼睛。"再往上，"那是前额。"最下面呢，"那是下巴颏儿。"

我窘住了。在自己的脸上，居然找不到脸，真是奇怪了。最后，终于想到了以攻为守，反问起来："那，你的脸在哪儿呢?"

姑姑笑了，说："把我的鼻子、腮帮子、嘴巴、眼睛、前额、下巴颏儿……放在一起，就是我的脸。"

我恍然大悟，知道了什么是脸！

放在一起考虑

在日常生活中，我们常常需要把一些事物放在一起考虑，并且给它一个总称。你看：

樱桃、梨子、苹果、桃……总称为水果；

笔、圆规、三角板、擦字橡皮……总称为文具；

椅子、桌子、书架、床……总称为家具；

A、B、C……X、Y、Z 总称为大写的英文字母；

红、橙、黄、绿、蓝、靛、紫……总称为颜色。

这种总称的办法很重要！要不把樱桃、梨子、苹果、桃……总称一下，一个卖这些东西的商店，该叫什么商店呢？

在数学里，当我们把一些事物放在一起考虑时，便说它们组成了一个“集合”！

集合的意思，和体育老师一吹哨子，把同学们集合起来差不多。我们在头脑里一想，便把很多事物放在一起了！

1、2、3、4、5、6、7、8、9、0，这 10 个数字，便组成一个集合。

从 0 到 9，每个数字代表一个自然数。把 10 个数字中的几个排列在一起，还可以表示更大的自然数：10、11、12……这就是全体自然数的集合。

两个自然数相除，得到一个正分数。这样，我们又和全体正分数的集合打起交道来了。

一个集合，总是由一些基本单元组成的。这些基本单元，叫做这个集合的“元素”。

比方说，3 是正整数集合的元素，或者说 3 属于正整数集合；$\frac{1}{3}$ 是正分数集合的元素，或者说$\frac{1}{3}$属于正分数集合。

在代数里，我们还要和全体有理数的集合，全体实数的集合，所有代数式的集合，一次方程的集合，二次方程的集合打交道。

在几何里，我们又接触到了点的各种集合：直线，线段，圆。

还有直线的集合，三角形的集合，多边形的集合，等等。

集合，是数学里最基本的术语之一，也是最重要的概念之一。研究集合的数学，叫做集合论，是现代各门数学的基础！

到处都有集合

除了在数学里遇到集合之外，你还可以毫不费力，举出形形色色的集合来。

走过百货商店，看到橱窗里琳琅满日。这个橱窗里摆的所有的样品，组成一个集合；每一件样品，便是这个集合里的一个元素。

到了教室里，全班 45 位同学都到齐了，45 位同学组成一个集合。这个集合里有 45 个元素，你也是它的一个元素。班里有 20 位女同学，这 20 位女同学也组成一个集合。这个集合比全班同学集合小，只有 20 个元素；而且这 20 个元素，又都在全班同学集合的 45 个元素之中。这样，女同学集合便是全班同学集合的一个“子集合”。

你去过动物园吗？动物园里有许多珍禽异兽：调皮的猴子，可爱的熊猫，凶猛的老虎……它们也组成一个集合。这个集合有多少元素呢？我说不上来，要到动物园去调查一番才能知道。动物园里的动物，又分为哺乳动物、禽鸟、爬虫……它们各自组成一个子

集合。

李老师只有一个孩子。李老师的孩子组成一个集合。这个集合里只有一个元素。

所有比 10 小的素数，组成一个集合。这个集合里只有 2、3、5、7 四个元素。

所有正偶数组成一个集合：2、4、6、8……无穷无尽，这是一个“无穷集”。线段 AB 上的点，平面上的三角形，所有的一元一次方程，分别都组成无穷集。

也有这样的集合，它里面一个元素也没有，叫做“空集”。方程 $x^2+1=0$ 的所有实根，便组成一个空集。因为方程 $x^2+1=0$，根本就没有实根。

还有这样的集合，它里面有没有元素，有多少元素，至今是一个谜。

地球上有没有一种叫做“雪人”的类人动物，现在还没有定论。这个集合是不是空的，谁也不知道。

在大于4的偶数中，有没有这样的偶数，它不能表示成2个素数的和？这样的偶数组成一个集合，它也许是空的，也许是有穷的，也许是无穷的。弄清楚这个集合里有没有元素，是有穷个元素，还是无穷个元素，这就是有名的哥德巴赫问题。

许多实际问题、科学问题和数学问题，归根结底，都是要弄清楚某个或者某些集合的情况！

思考题

在语文课上，我们逐步熟悉了常用字的集合，常用词的集合，名词的集合，形容词的集合。请你想一想，是不是各门功课，都要和某些集合打交道呢？

鸡和蛋的争论

先有鸡，还是先有蛋？这是一个流传很广的古老问题。人们常把它当做一个无法回答的问题。因为：

说先有鸡，那么，这个鸡从何而来？当然是从蛋里孵出来的，岂不是蛋比鸡早；

说先有蛋，那么，这个蛋从何而来？还不是鸡生的，岂不是鸡比蛋早。

也许你会说：世界上并没有最早的鸡，也没有最早的蛋。鸡生蛋，蛋生鸡，可以上追到无穷远，本来就不存在什么先有鸡，还是先有蛋的问题。

这种说法是不对的。科学告诉我们：万物都有历史。大量的事实证明，地球不是从来就有的，地球上的生物不是从来就有的，鸡也不是从来就有的，地球上确实应当有最早的鸡和最早的蛋。所以，先有鸡，还是先有蛋，这个问题是有意义的。

基督教认为：上帝造人，上帝造一切生物，上帝也造了鸡。既然上帝是造了鸡，那就是先有鸡了。按照这种说法，最早的蛋是鸡生的，而最早的鸡是上帝造的。

这个答案倒简单，可它是错的，因为根本就没有上帝。生物学的研究已经证实：现有的生物是在亿万年漫长的时间里，由无机物到有机物，由无生命到有生命，由单细胞到多细胞，由低级到高级，逐渐进化来的。

具体说，鸟类是由爬行类的一支进化来的；而鸟类中的某一个分支，又演化成了现代的鸡。古往今来的鸡虽然很多，可总是有穷只，它们组成一个“有穷集”。这里面，总有一批是最早的。

怎样从鸟类中演化出鸡的呢？

这是一个渐变过程。简单说：鸡的祖先，因为遗传性的改变产生出一些蛋，这些蛋孵化成最早的鸡。以后，又发生变化，才逐渐出现我们现在看到的鸡。

什么叫做鸡蛋

现在，问题已经水落石出了。关键在于，孵出了最早的鸡的蛋，有没有资格叫做“鸡蛋”？要是它可以叫做“鸡蛋”，答案就是先有鸡蛋，而最早的鸡蛋，不是鸡生的；要是它不能算是“鸡蛋”，答案就是先有鸡，而最早的鸡，是从一种不叫“鸡蛋”的蛋里孵出来的。

这样看来，只要我们把鸡蛋的定义弄清楚，问题便很好解决了。也就是说，全体鸡蛋组成的集合，究竟包括哪些元素！要是规定：鸡生的蛋才叫“鸡蛋”。那么，答案一定是先有鸡。要是规定：孵出鸡的蛋就算“鸡蛋”。那么，答案一定是先有鸡蛋。

这样看起来，要弄清一个问题，讲清一个道理，有关的集合的元素一定要交代清楚！

研究推理的学问叫做逻辑学。这个例子，说明逻辑学和集合论是紧紧地联系在一起的。

白马不是马吗

有时候，你会听到这样的话，明明是毫无道理，甚至荒谬绝伦，却又振振有词，一下子难以驳倒。这种话叫做怪论或者诡论。

2000 多年前，我国有一位善于辩论的人叫公孙龙。他有一句有名的怪论，叫做“白马非马”。

白马非马，就是说白马不是马。这不是在胡说嘛，谁能相信白马不是马呢。可是，公孙龙偏有他的歪道理：要是白马是马，那么，

黑马也是马；马又是白马，马又是黑马，那么，黑马就是白马，黑就是白了。岂不荒谬?

这话的毛病出在什么地方呢?

毛病在于：日常说话用的语言，是不精确、不严密的；而同一个词，又往往有不同的含义。我们平时说话，只要能听懂，不误会，也就可以了；要是用来认真地讨论问题，就容易出现漏洞。这就给公孙龙胡说以可乘之机。

好。让我们来分析一下吧。

“是”是什么意思

拿“白马是马”的“是”字来说，常见的有3种含义：

一、“是”可以表示一样。3市尺是1米，《阿Q正传》的作者是鲁迅……这时，“是”就起了数学中的“等号”的作用。

二、“是”可以表示元素和集合之间的归属关系。在“祖冲之是我国古代的数学家”这句话里，祖冲之是一个数学家，而我国古代的数学家却很多，一个人不能等于很多人，只能属于这很多人组成的集合。

三、“是”可以用来表示两个集合之间的包含关系。在“狗是哺乳动物”这句话里，狗表示一个集合——由所有的狗组成的集合，哺乳动物也表示一个集合。这句话的含义，是说狗集合包含于哺乳动物集合。也就是说，狗集合是哺乳动物集合的一个子集。

一个人兼职太多了，会顾此失彼。一个字的含义太多了，容易造成含糊和混乱。一字多解，在文学作品中是双关语、俏皮话的材料；而在认真的讨论中，有时就成为诡辩的得力工具了。

思考题

“是”字还有什么用法？

公孙龙的花招

现在，回到“白马是马”的问题上。这里的“是”字，是以什么身份出现的呢？在这里：

白马，是由所有白色的马组成的集合；马，包括了白马、黑马、老马、小马……是由所有的马组成的集合。

很明白，白马是马，无非表示：白马集合包含于马集合。也就是白马所组成的集合，是马集合的子集。“是”字在这里，表示“包含于”，是前面说的第三种含义。

公孙龙的诡辩是怎么回事呢？他利用了“是”的多种含义，在那里偷换概念。他的推理过程是：

要是白马是马，那么，白马＝马；要是黑马是马，那么，黑马＝马。这时，他把“是”字当成“等于”，得到白马＝黑马，推出了矛盾。这就是说，白马集合不包含于马集合。也就是说，白马非马。这时，他又把“是”字当成“包含于”了。

这一分析，真相大白：开始，他把“是”字说成“等于”；最后，又让“是”字起“包含于”的作用。偷换概念，是爱诡辩的人的拿手好戏。

当然，公孙龙的怪论中没有用“是”字，而用了“非”字，可是，“非”是“是”的反面。既然“是”字可以表示等于、属于和包含于，那么，“非”字自然也可以有3种不同的含义，就是不等于、不属于和不包含于。

明白了这个道理，我们就会对付公孙龙了。当他在我们面前说什么白马非马的时候，只要问他一句话：

你说的“非”字，是什么意思呢？是“不等于”，是“不包含于”，还是“不属于”呢？

要是表示“不等于”，白马非马的意思，无非是说：白马集合不等于马集合。这当然不错，不算怪论。

要是表示“不包含于”，那就错了。因为白马集合包含于马集合。

要是表示“不属于”，白马非马是说：白马集合不属于马集合。这也对。因为马集合的元素，是一匹一匹具体的马；而白马不表示某一匹具体的马，只表示所有白马组成的集合。原来，白马集合是马集合的子集，不是它的元素。它们之间的关系，是集合与它的子集的关系，用“包含于”表示，不用“属于”。

凡事怕认真。这样认真地咬定不放，公孙龙也就没有什么花招可耍了。

你能吃水果吗

和“白马非马”类似的说法，外国也有。

德国哲学家黑格尔说过：你能吃樱桃和李子，可是不能吃水果。

这是什么意思呢?

这是说，樱桃和李子不是水果。这不是和白马非马差不多嘛。

其实，樱桃和李子都是水果。水果是一个大集合，樱桃、李子是这个大集合的子集。说樱桃是水果并没有错。不过，这个“是”字在这里代表“包含于”，而不代表“等于”罢了。

说吃水果也没有错。因为说的人心里清楚，听的人也明白，意思是吃某个水果。用数学的术语来说，就是说吃水果集合里的某个元素，或者某些元素。不过，日常说话不能要求像数学那么严格，只要大家明白就行了。要是不说“我在吃水果”，而说“我在吃水果集合里的某些元素”，别人听了，反而会糊涂起来，弄不明白你究竟在吃些什么了。

这个道理，听起来有些稀奇古怪，细想一下，类似的例子多得很。

狗是一个大的概念，黄狗、黑狗便是小概念，家里喂的一只小花狗，便是具体的事物。这里，大概念相当于一个大的集合，小概念相当于子集，具体的事物，相当子集合里的元素。

还有，谁见过房子？当然，谁也没见过房子，只见过农村的茅屋和砖房，城市的高楼和大厦。

还有，世界上哪有车子？只有汽车、火车、自行车、平板车、马车……

说怪也不怪。有些还处于原始社会阶段的部落，往往只有具体的名词。比方说，在他们的语言里，只有老人、小孩、男人、女人这些词，偏偏没有单独的“人”字。他们会说3只羊、3条鱼、3只狼，却不知道单独的“3”是什么意思。

你看，集合的思想，和语言也有密切的联系！

符号神通广大

我们已经讲过了5个重要的数学术语。这就是:

集合、元素、子集、属于、包含于。

它们的含义和用法，简单地说，就是两句话:

一、集合是由某些事物放在一起组成的，这些事物，都叫做这个集合的元素。比如 a 是集合 M 的元素，便说 a 属于 M。

二、要是甲集合的任一元素都是乙集合的元素，便说甲集合是乙集合的子集，或者说甲集合包含于乙集合，或者说乙集合包含了甲集合。

用2个符号，可以把这两句话的意思表示得既准确，又简洁:

一个符号是“$\in$”，读作属于;

一个符号是“$\subseteq$”，读作包含于。

它们都是集合论中的最基本、最重要的专用符号（还有一个重要的符号是“$\subset$”，读作真包含于)。

$\in$出现的时候，前面必有一个字母或者其他符号开路，后面必有另一个字母或者符号追随。比如:

$b \in S$，$\frac{1}{10} \in Q$。

一看到这样的 3 个小东西，我们头脑里就要赶快反应：S 是一个集合，b 是 S 的一个元素，b 属于 S；Q 是一个集合，$\frac{1}{10}$是 Q 的一个元素，$\frac{1}{10}$属于 Q。

符号 ⊆ 也必然是前有“探马”，后有“卫士”的。不过，它前后的两个符号都代表集合，不像 ∈ 那样，前面是元素，后面才是集合。一看见

$A \subseteq B$

就要马上想到：A 包含于 B，A 和 B 都是集合，而且 A 是 B 的子集。

子集的“子”字，使人联想到孩子、儿子。A 是 B 的子集，有点像说：A 是 B 生的孩子。可是，这里有一点不同：孩子总比父母小，而 A 有时却可以和 B 一样！

为什么呢?

再看看子集的定义就清楚了：要是甲集合的任一元素都是乙集合的元素，便说甲集合是乙集合的子集。好，要是乙集合就是甲集合，甲集合的元素当然也是乙集合的元素。所以，按定义，每个集合都是自己的子集，$A \subseteq A$ 永远是对的。

∈ 和 ⊆ 是不能混淆的两个完全不同的符号。

要是既有 $A \subseteq B$，又有 $B \subseteq A$，那说明 A 的元素和 B 的元素完全

一样，这时，就说 $A=B$ 了。

初次见到∈和⊆，也许你会觉得奇怪，为什么要用这样的符号呢？用文字不是也能说明白吗？

大量使用符号来代替文字，是数学的一个十分重要的特点。

0、1、2、3……是符号；

+、-、×、÷……是符号；

≌、∠、△、⊙……是符号；

∈和⊆也是符号。

数学的符号多是有道理的。

首先，数学符号非常简便。a 属于 S，“属于”两字有 10 多画，用符号∈只有 2 画，多么方便。别小看了简便。简便可以节省时间，这可不是小事。

符号的第二个好处，是意思清楚、准确。一个符号只有一个确定的含义，是“专职人员”。在日常语言中，“属于”这个词可用在很多地方：荣誉属于人民，狗属于哺乳动物……而在数学里，符号“∈”只能用于说明集合和它的元素之间的关系！

符号还有第三个优点，它是世界通用的。在翻译数学书时，用符号组成的式子，只要照抄就可以了，这就为科学成果的交流，提供了很大的方便。有人曾经设想：要是我们有一天能和外星人取得联系，那么，能够促进这两类语言不通的智慧生物互相理解的东西，

在开始的时候，也许只有音乐、图画和数学里的图形与符号。

符号的好处值得一提的，还有它的醒目的特点，能使人在头脑里迅速作出反应。

另外，由于使用了符号，使人们发现了一些新的数学定律、公式和数学分支，这更是符号的大功劳。在这方面，说来话长，这里就不多说了。

不能这样回答

很多事物，因为常见常用、习以为常，人家往往不去多想多问，以为自己已经十分明白了。一旦寻根究底，这才发现，其中，还有好些没有弄清楚的地方。

你早就学过加法。现在问你：什么是相加?

也许你觉得太简单了。加，就是放在一起。3 个苹果和 5 个苹果放在一起，是 8 个苹果。

要是问你：把一只老鼠和一只猫放在一起，猫把老鼠吃掉了，消化掉了，是不是 1 + 1 = 1 呢?

当然不是。猫和老鼠放在一起，不是算术里说的放在一起。或者说，算术里的加和生物化学里的加是不一样的。

再问你一个问题：班里组织了航模和无线电两个课余兴趣小组，一个小组有3位同学，另一个小组也有3位同学，这两个小组共有多少同学?

要是你应声答6位，那就错了。

不信，请看两个小组的名单：

航模小组：李华、江明、徐志高；

无线电小组：丁一、李华、林小海。

你数一数，两个小组共有几位同学？一共是5位，因为李华一个人参加了两个小组。

这不是 $3+3\neq6$，而是不能用算术里的相加，来解决这样的问题。

类似的问题很多。例如：

王老师有一个孩子，李老师也有一个孩子，两位老师共有多少孩子？

李华看过 21 部电影，江明看过 17 部，两人共看过多少部电影？

对这样的问题，都不能简单地把数一加了事！

一种新的加法

有些放在一起是多少的问题，不能用数的加法来直接计算。

数的加法，只能用在某些放在一起的问题上。第一，放在一起的东西要是同类的。1 头牛和 1 只羊，不能用 $1+1=2$ 的办法去算。这叫做同名数才能相加。第二，放在一起的两组东西，在它们之间

不能有公共成员。你家有3人喜欢数学，5人喜欢文学，就可能只有5人，而不是8人。

这些清规戒律是不可少的。

可是，在实际生活中，我们会经常碰到一些不同名数的东西、几组有公共成员的东西放在一起算的问题。例如：

两个班的同学共订有多少种报刊?

两个动物园共有多少种珍禽异兽?

中国各地共有哪些野生动植物资源?

处理这些问题，就必须有一种不受那些清规戒律约束的加法，这就是集合的加法!

把甲、乙两个集合的元素放在一起，组成一个新的集合丙，丙叫做甲与乙的“和集”。为了区别于数的加法，丙也叫做甲与乙的“并集”，或者简单地叫做“并”。

也许你会问：一个元素既属于甲又属于乙，那么，它在并集丙中算一个元素，还是算两个元素呢?

当然是一个元素。两个课余兴趣小组在一起开会时，李华虽然参加了两个小组，可是开会时，仍然只给他准备一个座位。各班都订了《中学生》杂志，在统计全校订有的报刊种类时，仍然只算一种。

甲班订了10种报刊，乙班也订了10种报刊，问甲、乙两班共订了多少种报刊？这就是问并集里有多少元素的问题。

订了多少种报刊呢？这可难说。也许有 20 种，也许有 19 种，也许只有 10 种。这要看甲、乙两班订的同样的报刊有几种。要是有 5 种是一样的，那就共订了 15 种。算法很简单：

10（甲集元素数）+10（乙集元素数）-5（甲、乙公共元素数）=15（并集元素数）。

这样，我们就有了一个计算并集元素个数的公式：

（两集元素数的和）-（两集公共元素数）=（并集元素数）。

这么说起来，要弄清并集里有多少元素，非得知道两集有哪些公共元素不可吗？

对。甲、乙两集公共的元素，也就是那些既属于甲又属于乙的元素，它们组成的集，叫做甲集和乙集的“交集”，或者简单地叫做“交”。并和交，是集合论里的一对基本运算。

思 考 题

1. 有个淘气的同学，给自己算了一笔时间账，发现他简直没时间上课了：

每天睡 8.5 小时，一年睡 129 天还多；

星期日全天和星期六半天不上课，共约 78 天；

两个月暑假和一个月寒假，是 90 天；

每天吃饭用掉 2 小时，共 30 天还多；

每天两小时课外活动，共 30 天还多；

元旦等假日 8 天以上。

以上共有 $129+78+90+30+30+8=365$（天）。一年 365 天正好，怎么还能上课呢？

请问这笔账错在哪里了？

2. 全班 36 位同学，数学得 90 分以上的 27 人，语文得 90 分以上的 21 人，两门都得 90 分以上的 18 人，问两门都不满 90 分的有多少人？

什么叫做相交

陈毅是我国的元帅，又是热情奔放的诗人。他曾经风趣地说："在诗人当中，我是一个元帅；在元帅当中，我是一个诗人。"当然，这句话是他的谦逊之词，是说自己既算不得元帅，也算不得诗人。实际上，陈毅是当之无愧的元帅兼诗人。

要是用数学语言来表达，就可以这样说：我国所有的元帅组成一个元帅集合，所有的诗人组成一个诗人集合，陈毅就属于这两个集合的交集。

交集这个词，许多人不知道。可是，交集这个概念，大家实际上常常在用。学校招生的时候，往往列出几个必要的条件，每个条件可以确定一个集合，属于这几个集合的交，才准报名。

在数学课上，我们更是常常接触到交集。两直线的交点，也就是两直线的公共点。把一条直线看成它上面的点的集合，那么，交点就是两个点集的交集的元素。

你还可以举出，直线和圆相交、空间两平面相交等许多几何中的例子。

有一个有趣的问题：在一粒花生米的表面上，可以找到一条能够一丝不差地贴在乒乓球表面上的曲线吗？

也许你以为这是一个很难的立体几何问题，其实简单得很：把花生米表面和乒乓球表面随便交一下便行了！

不过，对没想到相交的人来说，恐怕就百思不解了。

思考题

交集的概念，和方程组的解有什么关系？

没有来的举手

在一次班会上，老师问道：都到齐了吗？没有来的请举手。

这当然是一句玩笑话。要知道哪些同学没有来，只要弄清楚哪些同学来了就可以了。

全班同学组成一个集合，出席同学组成它的一个子集。从全班同学集合中去掉出席同学集合中的元素，剩下的就是缺席的同学，他们组成另一个子集。

把出席子集和缺席子集并起来，恰好是全班同学的集，既不重复，也不遗漏。我们说，这样的两个子集是互补的集合。

说到互补，必须先有一个“全集”。说甲集和乙集互补，是相对于全集说的。刚才说的全集，就是全班同学的集。

这个互补的意思，在日常生活中，在数学里，都很重要。

现在几点了？9 点差 5 分。这里不说 8 点 55 分，是因为 9 点差 5 分更简明，给人的印象更清楚，这就用到了补的思想。我们在电影上经常看到，公安人员侦破案件时，总是不断地把确证不可能作案的人排除，一步一步地缩小调查范围，这也用到了补的思想。

在学习心算和速算的时候，补数的用途很多。进位加法的口诀是“进一减补”，退位减法的口诀是“退一加补”。乘法速算用到补数的地方也不少。

补的思想还可以再推广：按加法，9 和 1、97 和 3、49 和 51……是互补的；按乘法，0.2 和 5，4 和 0.25……也可以说是互补的，不过，为了避免混淆，我们说它们互为倒数。倒数在速算中也很有用。

在几何里，补角和余角，都是互补思想的应用。不过，以直角为标准时不叫互补，而叫互余罢了。

并、交、补是集合之间的 3 类重要运算。它们在逻辑的研究中，在电子计算机的设计和应用中，都有很大的用处！

猜生年的游戏

1983年是“猪”年。当邮局开始出售一张印有1头大肥猪的邮票时，许多集邮迷争相购买，生怕买不到这头“猪”。

为什么要把年与猪联系在一起呢？

这是我国干支纪年的通俗说法，在民间流传已久。它用12种动物轮流标记年份，顺序是鼠、牛、虎、兔、龙、蛇、马、羊、猴、鸡、狗、猪。

1983 年是猪年，1982 年便是狗年，1984 年便是鼠年。要是你是上一个猪年——1971 年生的，到 1983 年这个猪年的生日那天，便是 12 周岁。

一个人出生那年是猪年，他的“生肖”便是猪，也说他“属猪”。类似的，属牛、属狗等等。生肖比年代形象好记。知道了一个人是属猪或者属狗，就容易推算出他的年龄。要是推算错了，一错就是 12 岁，很容易发现。

下面，讲一个猜生肖的游戏。

把这 12 种动物画在一张纸上，如图：

	1	2	3	4	
	鼠	牛	虎	兔	
12	猪	↷		龙	5
11	狗			蛇	6
	鸡	猴	羊	马	7
	10	9	8		

取一张同样大小的卡片，在上面挖6个洞，如图：

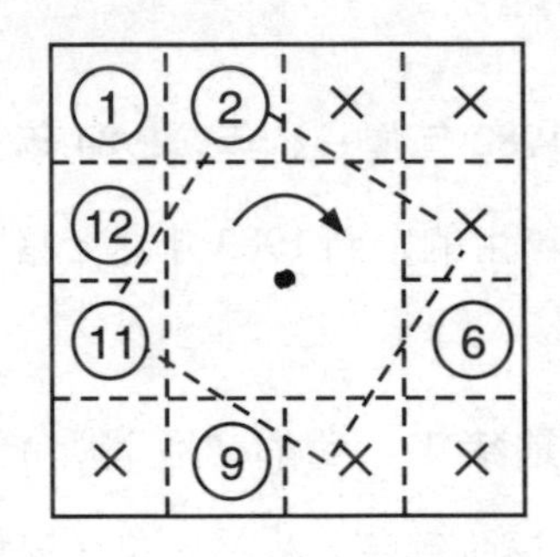

把卡片盖在十二生肖图上，能看见的6个是鼠、牛、蛇、猴、狗、猪，就是1、2、6、9、11、12。请你的一位朋友来，只要问答4次，你便能准确地说出他的生肖来。具体玩法是：

把卡片盖在图上，问："现在能看见你的生肖吗?"你的朋友说"能"，你便记个"0"在一张纸上；说"不能"，便记个"×"。当然，你记性好，不用纸笔，在心里记下，游戏的效果就更好了。

然后，把卡片顺时针方向转90°，再问一次。这时，洞里露出来的6个是兔、龙、猴、猪、牛、虎。因为这么一转，对应的号码都加了3，而加3后大于12的再减12，于是，1→4，2→5，6→9，9→12，11→14→2，12→15→3，洞里露出的便是兔、龙、猴、猪、牛、虎了。

再转90°，问一次；再转90°，问一次。根据4次回答，你马上可以定出他的生肖来。要是4次回答是"0×××"，那他就属鼠。

为什么呢?

你这样转动4次，反复试试，容易发现卡片洞设计得很好:

一、在4个角上的鼠、兔、马、鸡，都只出现1次；依次靠后的牛、龙、羊、狗，都要出现2次；再依次靠后的虎、蛇、猴、猪，都要出现3次。这就把十二生肖的出现等分成3类；而且每一类中的4个，出现的先后又正好不一样。要是4次回答中只有一个“0”，而且是第一次出现，那肯定就是鼠了。

二、回答只可能有12种，而且各自对应一个生肖，既不重复，也不遗漏。所以，你能根据回答的情况，准确给出答案。4次回答与十二生肖的关系，列个表就清楚了:

0 × × × 鼠（1）；　　× 0 × × 兔（4）；
× × 0 × 马（7）；　　× × × 0 鸡（10）；
0 0 × × 牛（2）；　　× 0 0 × 龙（5）；
× × 0 0 羊（8）；　　0 × × 0 狗（11）；
× 0 0 0 虎（3）；　　0 × 0 0 蛇（6）；
0 0 × 0 猴（9）；　　0 0 0 × 猪（12）。

把这个表简化一下，得到:

0	1	4	7	10
00	2	5	8	11
000	3	6	9	12

农村赶集有1、4、7，2、5、8，3、6、9的规定，再把10、11、12依次放在后面，就记住了这个表。

思 考 题

这个猜生肖的游戏，你能用集合的补和交，把它的道理说清楚吗？

怎样设计卡片

也许你会问，猜生肖游戏的解答表，怎么那么有规律？它是怎么设计出来的呢？

你看，在卡片转动的时候，角总是落在角上。我们要是只在卡片的左上角挖1个洞，当它转动的时候，顺次看见的只有鼠、兔、马、鸡。

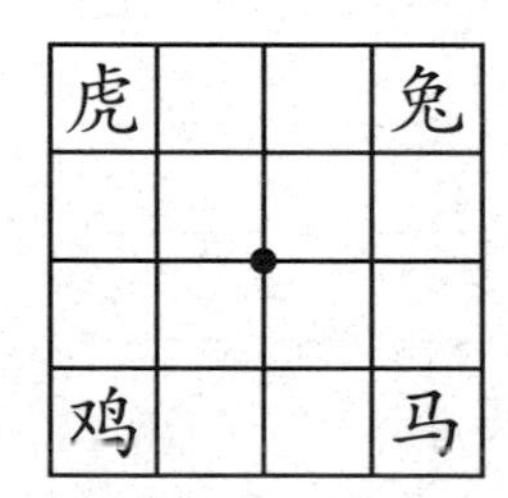

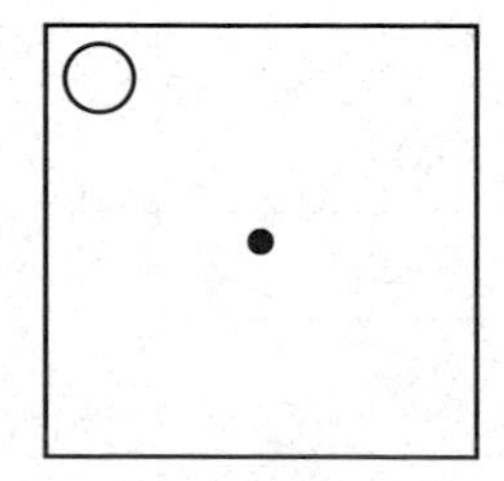

所以，鼠就是0×××，兔就是×0××，马就是××0×，鸡就是×××0。

这只解决了4个，那8个怎么办呢？卡片上可只有4个角呀。

你多想想，再细看看，原来牛、龙、羊、狗这4个，也分布在一个正方形的4个角上，只不过这个正方形没有画出来，不惹人注意罢了。

当卡片转动的时候，这个看不见的正方形，角也是落到角上的。在这四个角上也挖1个洞，不是又把牛、龙、羊、狗解决了。不过，这次在4个角只挖1个洞，就太粗心了。比如在牛的位置挖个洞，卡片转动4次，牛就是0×××，牛和鼠就没有区别了。

怎么办呢?

在这4个角上挖2个洞就解决了。有了2个洞，在卡片转动4次中，牛、龙、狗、羊都会出现2次，这就和鼠、兔、鸡、马有区别了。

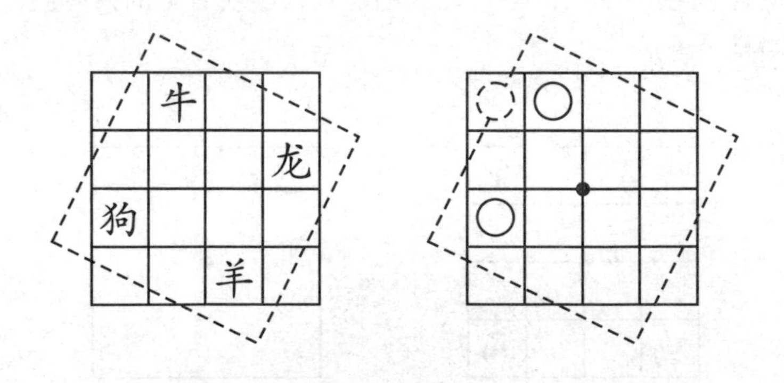

卡片上多了这2个洞，会不会影响鼠、兔、马、鸡的代号呢?

不会。这2个洞，是怎么也不会落到原来的角上去的。

最后剩下的虎、蛇、猴、猪4个，也正好在一个正方形的4个角上，只要在4个角上挖3个洞就行了。

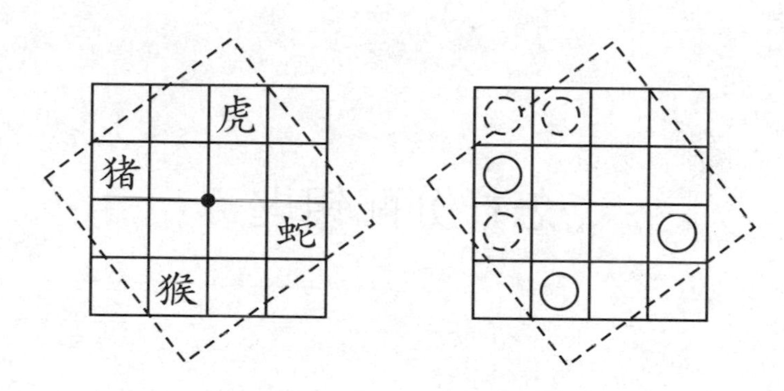

要注意的是那6个洞，可以有多种多样的挖法。上面说的，只是其中的一个。

思考题

请你想一想，卡片上的洞有多少种不同的设计方法？在应用时可以有多少种变化？这个游戏和集合的并有什么联系？

怎样分配钥匙

重要的东西放在柜子里，往往要上锁。

要是2个人共同保管一柜子重要东西，为了慎重，放上2把锁，2人各拿1把锁的钥匙。这样，只有2人同时在场，才能打开。

要是3个人共同保管，并且规定：只要2人在场，便可以打开柜子，而1个人是打不开的，应当怎么办呢？

容易想到：可以用3把锁，每人拿2把钥匙。甲、乙、丙3个人，A、B、C 3把锁，甲拿A、B的，乙拿A、C的，丙拿B、C的。这样，谁来了也不能开3把锁，可是任意2个人来，就可以了。

更复杂一些，一个办公室有4个人，规定够3个人才能开那个文件柜，那么，至少要用几把锁？钥匙又应当怎样分配呢？

也许你会说，这还不简单，3个人用3把锁，4个人用4把锁好了。每人拿3把钥匙，不就可以了吗？

仔细一想，不行。4人当中，谁也不能拿3把钥匙。要是甲拿了3把，而第四把在乙手里，岂不是甲、乙2人就把门打开了嘛。

类似的道理，谁也不能只拿1把。

如果甲拿了A，另外3个人手里都不可能有A。不然，如果乙手里有A，甲、乙、丙3人能开，乙、丙2人就也能开了。这样，乙、丙、丁3人就打不开了！因为谁也没有A。

既然谁都不能拿1把或者3把，那就只剩下每人2把这一种可能了。每人2把行不行呢？

要是甲拿到A、B 2把，那么，另外3人中也有A、B，否则3人来了怎么开呢？设乙、丙在一起就有了A、B，既然甲、乙、丙3人能开锁，乙、丙2人也能开了。所以，4把锁是不够的。

5把锁呢？可以证明，5把也不行。想实现提出的要求，至少要6把锁，钥匙的具体分配方案是：

甲：1、2、3；乙：3、4、5；丙：5、6、1；丁：2、4、6。

思 考 题

为什么5把锁不行？用6把锁时，还有没有其他分配钥匙的方法？请你想一想，能不能运用集合的交、并、补，把这2个问题说清楚。

驯鹿有多少只

以前，在北方的寒冷地带，生活着一些原始部族。他们常常养着许多驯鹿，就和农牧民养马、驴、牛、羊一样。

一天，一位远方的客人来到了这里。主人淳朴好客，盛情招待之后，又请客人参观自己的驯鹿群。客人在赞美主人的勤劳和富足之后，提出了一个问题：尊敬的主人，你家有多少头驯鹿呢?

这使主人有点为难了。他说：我们并不经常清点驯鹿的总数。要是有1头驯鹿跑出去，我们看见了，会把它赶回来。不过，既然尊贵的客人希望知道驯鹿的数目，我一定让客人满意。

于是，他喊来了妻子、2个儿子和1个女儿。他想了想，又请来了3位邻人。大家知道了原因，都热情地表示愿意帮助清点驯鹿。他们伸出了自己的双手。

主人把驯鹿放出栏外，再1头1头地赶回来，每回来1头，便有人屈回1个手指。最后，主人得意地向客人说：看见了吧，我的驯鹿比7个人的手指头还多4头呢。

这便是许多原始部族的计数方法。

我们的祖先，很久以前也是这样计数的。正是因为每个人有10个指头，所以世界各地的人们，差不多都不约而同地用了十进位的记数方法。在有些惯于赤脚的部族，也有把脚趾用上的，这就是二十进位的“赤脚算术”。

寒冷地方的原始部族只用手指，因为那里的天气太冷了，打赤脚是不行的。

这个办法真好

也许你认为原始部族在计数方面太不高明了，简直和一年级的小学生差不多。可是，他们计算数时所用的基本原则，却是非常科学的！这个原则就是：要是在两个集合的元素之间，可以建立起一一对应关系，那么，这两个集合的元素便是一样多的！

一群驯鹿组成了集合 A，一些手指组成了集合 B，1 头驯鹿对 1 个手指，既不重复，又不遗漏，这就在 A、B 两个集合之间，建立了一一对应，我们就知道了：有多少手指，便有多少驯鹿！现在，这里是 7 个人的手指外加 4 个手指，驯鹿便是这么多——74 头。

一一对应，非常有用！而且，即使不知道一一对应这个词，人们也经常用到它。

学校包了一场电影。同学们纷纷挤在电影院里。带队的同学很着急，怕椅子不够坐。于是，他宣布不分年级和班组，一个挨一个坐下。结果，椅子正好够坐。

夏天，你吃过清凉的人丹。1 包人丹是 50 粒，这 50 粒是怎样不多不少地装进去的呢？原来女工手里拿1个带把的小竹板，竹板上刻有半球形的50个小窝窝。她把竹板在人丹堆里一抄，每个窝里有1粒人丹，于是：不多也不少，正好50粒。这正像人们常说的：一个萝卜一个坑。

到图书馆去借书，要先查阅图书卡片。书库里有一种书，卡片箱里就有一张卡片，卡片上写着书名、作者、页数……这也是一一对应。这种对应，方便了读者。

到了一个大城市，最好准备一张市区交通地图。市里的街道、电车路线、公共汽车路线，在图上一目了然，这也是一一对应。这种对应，方便了旅客。

用一一对应的思想和方法，还可以使不好计数的变得容易计数，不易掌握的变得容易掌握，不好理解的变得容易理解。

下面的这个智力游戏，就可以用一一对应的思想来解决：

国际象棋盘有64个方格，黑白相间，把左上角和右下角的方格各剪去一个，能不能把剩下的62个方格，剪成31个长为2、宽为1的长方形呢？

你应当在1分钟之内回答：不行。因为剪去的2个方格颜色相同，剩下的方格，黑方格和白方格不能一一对应了，而每个2×1的长方形，必须是一黑一白！

思考题

教室里有7排椅子，每排有7个座位，49位同学每人1个位子，能不能调换一下位置，使每人都坐到相邻的（前、后、左、右）位置上去？

巧排诗的窍门

白日依山尽，黄河入海流。

欲穷千里目，更上一层楼。

唐朝王之涣的这首诗，20 个字便写出了黄昏日落时，祖国山河苍茫壮阔的景象。

一天，丁丁用 20 张小卡片，分别写了这 20 个字，叠成一叠拿在手上。最上面一张是“白”字。

他把“白”字放在桌上，然后一张一张地把最上面的卡片移到最下面。移掉6张之后，便出现了“日”字。

又这样移掉6张，“依”字又出现了。以后，每从上移下6张，便出现了诗句中的下一个字。最后剩在手里的，是“楼”字。在旁观看的同学感到奇怪：他预先是按什么顺序把卡片排好的呢？

动手计算，要花不少时间。利用一一对应，却有一个简单的排法：

在纸上画一排20个方格，在最左面的方格里写上号码1，空6个格写2，再空6个格写3；在3的右边，现在只有5个空格了，再接着从左边留空格1个，然后写4，以后继续这样数下去。每跳过6个空格，就顺序填一个号码，直到20。

1							2							3					

1	10	4	14	13	15	12	2	7	9	5	18	16	11	3	19	20	8	6	17

最后，把诗中的20个字，按顺序编上号码，再按纸上排好的号码顺序叠成一叠，自上而下是：

白流山里千目穷日河海尽一更欲依层楼入黄上

这个有趣的游戏，还有种种不同的玩法。可以用不同的诗，或者要求把扑克牌这样一张张地按指定的顺序出现。而且，也不一定每隔 6 张抽 1 张。可以先隔 1 张抽 1 张，再隔 2 张抽 1 张，然后隔 3 张抽 1 张，就显得更有趣了。

这样把 20 个字的顺序重排一下，也就是把一个集合的 20 个元素，和自己一一对应了一下。这种集合到自身的一一对应，叫做“置换”。在数学中，置换是一种很有用的一一对应。

思考题

李华能熟练地把打乱了的魔方还原为 6 面单色。一天，小王拿了 1 个打乱了的魔方问李华：你能把你手中的魔方打乱得和我这个一模一样吗？李华一下子被难住了。过了几分钟，他便想到了一个必然成功的方法。你知道他用的是什么方法吗？

重视先后顺序

巧排成诗的游戏，关键在于顺序。一首好诗，把字的顺序打乱，就不成为诗了。

事物的顺序，有时候是很重要的。打扑克牌，能不能得到胜利，要看出牌的顺序。下象棋，先走什么，后走什么，也很有讲究。

学化学，门捷列夫的元素周期表很重要。门捷列夫是怎样发现周期表的呢？他是把几十种元素，按原子量的大小，自小而大排成顺序，才发现了这个表的。

有时候，顺序本身并不重要。可是，为了方便，还是要排个先后。报纸上登载出席一些重要会议的人员名单，常常加上一句说明：按姓氏笔画为序。这就是说，顺序本身，不包含什么意义。因为总得有个先后，不然怎么印报和读报呢。

英文字母是从 A、B、C 开始的。这是个习惯，没有多少道理。不规定个顺序，可怎么查字典呢。

在生活里，买东西、乘车、人多了要排队，是文明的表现。

在数学里，数有大小，运算要先乘除后加减……也常常要用到顺序。

集合里的元素，本来无所谓先后顺序。有时为了处理问题方便，需要分个谁先谁后，排成一定的顺序。这种规定了元素之间的先后顺序的集合，叫做“有序集”。

同一个集合里，可以按照不同的标准，排成不同的有序集。

全班同学，在集合的时候，按个子高矮排成了一队，高个子在前面，这就成了一个有序集。可是在长跑的时候，跑得快的就到了前面，又形成了另一个有序集。

三次多项式的四项，按升幂排列成为一个有序集，按降幂排列成为另一个有序集。

在2个有序集之间建立一一对应，有时候顺序可能打乱了。要是顺序不打乱，前面的对应前面的，后面的对应后面的，这种不打乱顺序的一一对应，叫做“相似对应”。

我们用手指来数东西：1、2、3……这个数的过程，也就给一堆东西排了某种顺序。这个新排成的有序集，和一些自然数1、2、3……也就建立了相似对应。

要是这堆东西本来已有顺序，而这个顺序和数的先后次序不一定一样时，这种对应，就不是相似对应了。

顺序，在几何里也很重要。在学相似形的时候，就要注意2个图形中的点的排列顺序。

请问什么是1

1是什么，这还用问吗？1，就是1把，1只……1把椅子，1只羊……

那么，1到底是1把椅子，还是1只羊呢？

它既不是1把椅子，也不是1只羊；可它既可以代表1把椅子，也可以代表1只羊。

不是嘛，1+1=2这个等式，既可以用来说明1把椅子和另1把椅子放在一起，就是2把椅子；也可以表示1只羊和另1只羊放在一起，就是2只羊。

同样，可以问什么是3？什么是4？什么是自然数？

这个问题很重要。有了自然数，才有分数，才有有理数，才有实数，才有复数。我们学数学，是从1、2、3、4开始的。

几何也离不开数。线段的长度，三角形的面积，角的大小，相似形的相似比，都是数。而数，归根到底要从1、2、3、4说起。

还有比1、2、3、4更基本的吗？回答是有。这就是集合！

我们可以利用一一对应，对集合进行分类。要是甲、乙两个集合可以一一对应，便归成一类。自然，同一类的集合，它们的元素是一样多的。

元素最少的那一类，只有1个集合——空集。我们说，空集的元素的数目是0。

有一类集合，它的元素比空集的元素多，比别的类集合元素少。我们就说它是1。1就是最小的非空集的元素个数。

把这一类除去，最小的一类，它的元素个数就是2。这样，自然数便可以依次产生了！

总之，把所有的有限集分成许多类，能够一一对应的才算是同类。把这些类，按元素的多少，由小到大排成顺序，每类给它一个符号，来表示它的元素的多少，这些符号，按我们的习惯写成 1、2、3……这便是自然数。

说集合论是现代各门数学的基础，这是一个重要的原因！

用尺子来运算

你的文具盒里，有没有带刻度的小直尺？直尺上每个刻痕旁有一个数：1、2、3……这也是一一对应，数和点的对应。

利用这个对应关系，有2把直尺，便能计算加法。

如图，把两把尺一正一反地对好，上面尺子的刻度5对准下面尺子的刻度4，上尺端的0便对准了下尺的刻度9，这说明$4+5=9$。

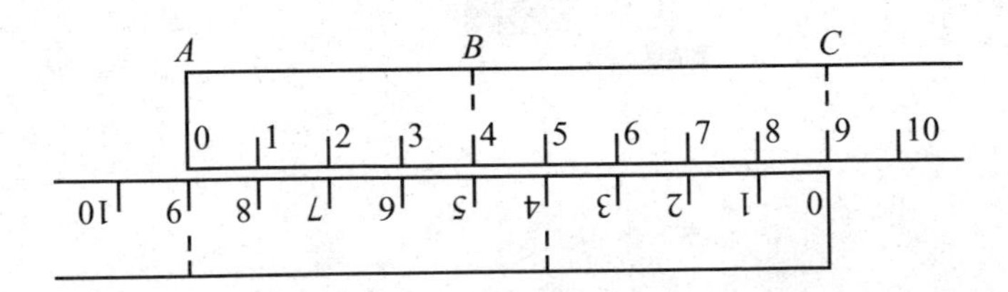

从图上还可以看到：$1+8=9$，$2+7=9$，$3+6=9$，等等。

道理很简单，看上尺，AB长为4格；看下尺，BC长为5格；上下一同看，$AC=AB+BC=9$。这不过是把数的相加化成线段的相加罢了。

还可以换一个眼光看，从A开始，上尺是0，下尺是9，$0+9=9$；每向右移1格，上尺刻度加1，下尺刻度减1，一加一减，总和不变，仍然是9。

尺子也能算正负数。不过，常用的尺子上没有负数的刻度。你可以用牙膏纸盒的硬纸条做2根带正负数的尺子，这尺子就像书里讲的数轴了：

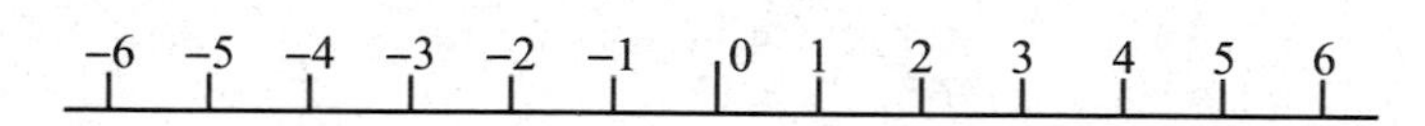

仍然用刚才的办法，就能算正负数的加法。如下图，说明$(-1)+(-2)=-3$，$7+(-10)=-3$，等等。

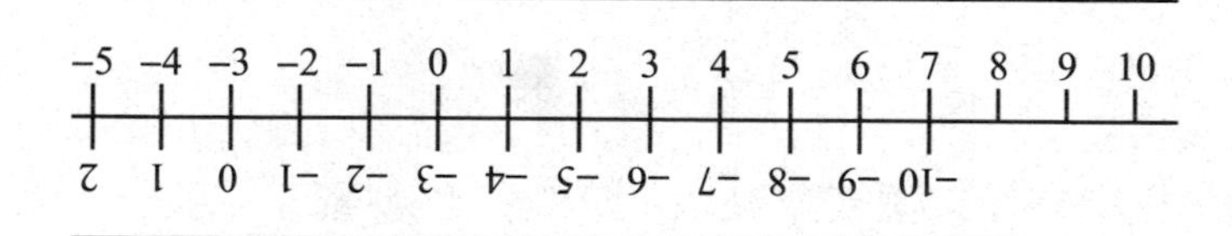

用尺子能算乘法吗?

也能。只要把尺子上的数改一下就可以了。这就是把0改成1，1改成2，2改成4，3改成8，-1改成0.5，-2改成0.25……这一改，刚才的加法就变成了乘法：

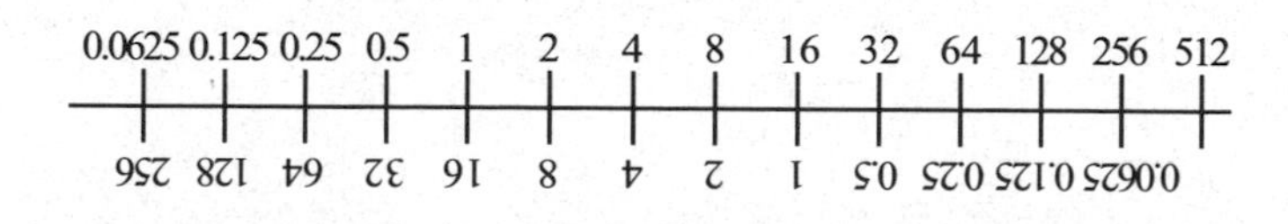

如上图，上尺的128对准下尺的0.125，上尺的1正对着下尺的16，答案就是$128\times0.125=16$。另外，$2\times8=16$，$4\times4=16$，$32\times0.5=16$，等等。

这个道理也很简单。1和16相对，$1\times16=16$；向右移1格，1加一倍变成2，16减一半变成8，两者一乘，等于不加不减：

$$1\times16=1\times2\times\frac{1}{2}\times16=2\times8。$$

再向右移，每移1格，上尺的刻度数乘2，下尺的刻度数除以2，一乘一除抵消，乘积不变。

思考题

能用本节讲的方法计算减法、除法和比例吗？

老伯伯买东西

一位老伯伯带了10元钱买东西。他把这10元钱分成10份，分别包在10个小纸包里。

他要买的东西的价钱是多少呢？不知道。也许是1分钱，也许是几元几角几分。他得意的是：从1分到10元，不管是多少，他都能从这10包中挑出几包来付钱，不用找钱。

请你想想，这可能吗？要是可能，这10包钱各是多少，才能搭配出1000种钱数呢？

从简单的情况开始。这是解决数学问题常用的方法。

必须有这么1包，包1分钱。不然，买1分钱的东西怎么办呢？

为了能买2分钱的东西，有2种方法。一种方法是再包一个1分钱的包，另一种方法是再包一个2分钱的包。哪种方法好呢？当然是包一个2分钱的包好。因为这样可以买2分钱的东西，也可以和那个1分钱的包合起来，买3分钱的东西。

下一步，我们要考虑怎么能买到4分钱的东西。这可以有4种办法：

增加一个1分钱的小包，可买1分~4分钱的东西；

增加一个2分钱的小包，可买1分~5分钱的东西；

增加一个3分钱的小包，可买1分~6分钱的东西；

增加一个4分钱的小包，可买1分~7分钱的东西。

当然是第四个办法好。

下一步，为了买8分钱的东西，我们要增加一个什么样的包呢？想一下刚才的包法——1分，2分，4分，很自然会想到8分。

这样，我们发现规律了：一包比一包多1倍。

可是，从8分到10元，相差还很大，而我们已经包了4包，只剩6包了，行吗？为了放心，具体算一算好。

第五包，1角6分，5包可以买1分至3角1分的东西；

第六包，3角2分，可买1分至6角3分的东西；

第七包，6 角 4 分，可买 1 分至 1 元 2 角 7 分……

第八包，1 元 2 角 8 分，可买 1 分至 2 元 5 角 5 分……

第九包，2 元 5 角 6 分，可买 1 分至 5 元 1 角 1 分……

第十包，按规律，应当是 5 元 1 角 2 分。可是，老伯伯只有 10 元钱，前 9 包已包了 5 元 1 角 1 分，剩下的只有 4 元 8 角 9 分，这就是第十包。

你还不放心，可再算一遍，看看这样包，能不能搭配出从 1 分到 10 元的这 1000 种钱数。

要是老伯伯再多 2 角 3 分，一共是 10 元 2 角 3 分，这个题就更漂亮了：把 10 元 2 角 3 分钱分成 10 包，从中间取若干包，可以搭配出 1 分，2 分，直到 10 元 2 角 3 分，共 1023 种不同的钱数。连 0 算在内，共 1024 种。

能不能更多呢

把这 10 个纸包看成一个集合，每个纸包便是这个集合的一个元素。从 10 个元素中任取几个元素，便可组成一个子集。

问题在于，这个有 10 个元素的集合，有多少子集呢？要是它的子集不超过 1024 个，我们就不能指望它搭配出比 1024 种更多的钱数。

让我们从头算起：

空集，它的元素是 0 个，子集是 1 个，就是它自己——空集；

1 个元素的集合，有 2 个子集：空集和它自己；

2 个元素的集合，比方这两个元素是甲、乙，它有 4 个子集：空，甲、乙，甲，乙。

添一个元素丙，变成 3 个元素的集合时，原来的 4 个子集还是子集，这 4 个子集分别配上元素丙，于是又多了 4 个子集，一共 8 个。

哈，我们又找到规律了：每加 1 个元素，子集的个数便翻一番！

因为，原来有多少子集，配上这新来的元素，便又产生同样多的新的子集，可不是正好加一倍嘛！

这样，3 个元素的集有 8 个子集，4 个元素的集有 16 个子集，5 个元素的集有 32 个子集，n 个元素的集有 2^n 个子集。子集比集合的元素多得多！

10 个元素的集合，它的子集的个数恰好是 $2^{10}=1024$，其中有一个空集。

所以，老伯伯把 10 元 2 角 3 分钱分成 10 包，用来搭配出 1 分到 10 元 2 角 3 分这 1023 种钱数，实在是太巧不过了。要是只有 10 元钱，便没有很好地利用这么多的子集。如果把 10 元 2 角 5 分钱分成 10 包，无论怎么包法，也搭配不出 1025 种钱数来。

思　考　题

要是你有 3 元 4 角 7 分钱，请问分成几个钱包，能配搭出的钱数最多？

有用的二进制

学习委员赵千，为了给大家办理下半年的报刊预订，画了一张表。

每位同学，每种报刊，也许不订，也许订一份。这个表填起来很方便。只要看清报刊的排列顺序，每人只要喊一声就行了。张明

份数 报刊 \ 姓名	张明	万有玉	李铁	丁丁	王小玲
中国少年报	1	0	1	1	0
中学生学习报	1	1	1	0	0
少年文史报	0	1	1	0	0
我们爱科学	1	0	1	0	1
中学生	0	1	1	0	0
少年文艺	1	0	1	1	0

说，我要的是110101，赵千就知道，他除了《少年文史报》和《中学生》，另外4种都要订。

这里的0是不可少的。比如王小玲只说个1，谁知道她订哪一种呢?

6种报刊组成一个集合，每人订阅的，是一个子集合。用1和0的不同排列顺序，来表示每一个子集合，是一个非常简便的方法。

老伯伯买东西，从10个钱包里取哪几个，也可以用这样的办法来表示。

从下表可看出，要买价格为3.49元的东西，只要拿6包，代号是0101011101；买1.12元的东西，要拿3包，代号是0001110000。

	5.12	2.56	1.28	.64	.32	.16	.08	.04	.02	.01
3.49	0	1	0	1	0	1	1	1	0	1
.63	0	0	0	0	1	1	1	1	1	1
10.11	1	1	1	1	1	1	0	0	1	1
1.12	0	0	0	1	1	1	0	0	0	0

要是不以元为基本单位，而以分为基本单位，也就可以说，349的代号是0101011101，112的代号是0001110000。

这里，1的价值随位置的变化而变化。最右边的1，就代表1，第二个位置的1代表2，第三个代表4，第四个代表8，越向左边，越了不起。

可是，0到了最左边，反而没用了，干脆省掉。112就用1110000表示，349就用101011101表示。这样用1和0排起队来表示一个数的方法，叫做二进制记数法！

17世纪~18世纪的德国数学家莱布尼兹，是世界上第一个提出二进记数法的人。用二进记数，只用0和1两个符号，可算是最简单的记数法了。可是，大一点的数写起来太长，39要记成100111，就麻烦了。再加上大家用惯了十进记数法，当然在日常计算中不愿用它。

说来有趣，莱布尼兹发明了二进制，还发明了计算机，可是他的计算机并没有用二进制，倒是现代的电子计算机，是用二进制来计算的。因为，通电和断电，正好可以用1和0来表示。研究逻辑

也可以用二进制，逻辑里的是和非，恰好可以用 1 和 0 表示。还有不少数学理论和数学游戏，用二进制也很方便。二进制的用处确实不小呢！

我们用十进制，电子计算机用二进制。这就需要把十进制的数，翻译成二进制的数，才能送到机器里去计算。

怎样把一个十进制数写成二进制数呢？方法很简单：用 2 除，记下余数；再用 2 除它的商，又记下余数；直到商是 0 为止。把余数自下而上依次排列起来，这就是一个十进制数的二进制表示法。例如 715：

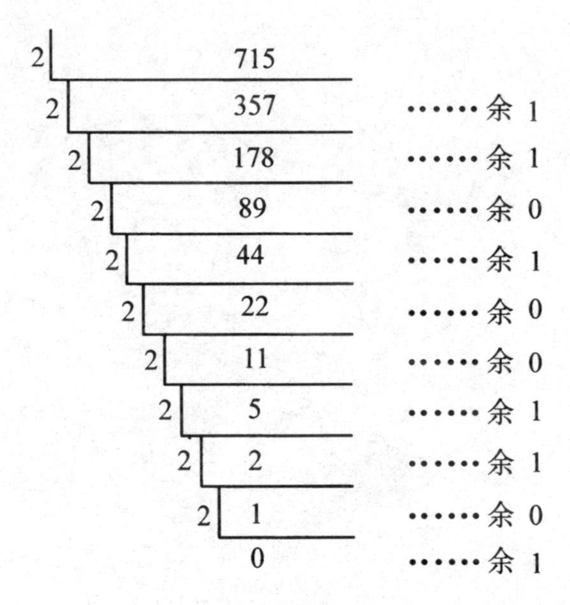

所以，715 的二进制表示法是 1011001011。

至于怎么把二进制数改成十进制数，那就更简单了。只要记着：二进制数从右向左，依次乘以 1、2、4、8、16……然后把所得的结果加起来就行了。

用假选手凑数

用淘汰的方法举办乒乓球比赛，要是参加的人不多，轮空的人次好算；要是参加的人很多，轮空的人次就不好算了。

碰见数学难题，从最简单的情况想起，往往能从中找到解题的思路和方法。现在的问题是问有多少人次轮空，那么，最简单的情况是没人轮空。什么情况才没人轮空呢？这容易想清楚。当参加比赛的人数是2、4、8、16、32、64……时，才不会有人轮空。也就是说：选手数是2的正整次幂时，无人轮空。

要是这次乒乓球比赛共有49人参加，49人不是2的正整次幂，一定有人轮空。要是再补上15名，凑够64名，无人轮空，题就变得简单了。为了方便研究，我们不妨补上15名吧。这15名算是充数的，个个简直都不会打乒乓球，和那49名一打准输，所以可以叫做假选手，那49名是真选手。

在编排比赛程序时，每轮比赛中，尽可能安排真对真；实在没办法，真的剩一个单，这才安排真假对阵。结果，当然是真的必胜，如同轮空一样。

这样凑数之后，表面上是不会有人轮空了，实际上，和假选手对阵的真选手，和轮空毫无差别。

也就是说，假选手碰真的人数，和我们要算的真选手轮空的人次，是一样的！在它们之间，有一个一一对应的关系。

而且，计算假选手碰真的人数，比计算真选手轮空的人次数要简单得多。这不只是因为假选手总要少一些，而且真选手轮空要留下来，假碰真却要淘汰，计算时也方便一些。

拿刚才这 15 名假选手来说，碰真的人数是这样算的：

15 除以 2 得 7，余 1（1 人碰真）；

7 除以 2 得 3，余 1（又 1 人碰真）；

3 除以 2 得 1，余 1（又 1 人碰真）；

1 除以 2 得 0，余 1（又 1 人碰真）。

于是马上知道，有 4 人碰真。也就是真正的比赛中，一定有 4 人轮空。

你注意了没有？计算碰真人数的过程，和把 15 表示成 2 进制数的过程一模一样！而碰真人数，也就是 15 的二进制记数法中的 1 的个数！

一个简洁有趣的答案出现了：用不小于选手人数的最小的 2 的方幂减去选手人数，差的二进制记数法中的 1 的个数，就是比赛中轮空的人次数！

例如：选手有234名，略比234大的2的幂是256（$=2^8$），256－234＝22，22用二进制表示是10110，所以有3人次轮空；选手有83名，128－83＝45，45用二进制表示是101101，所以有4人次轮空。

怎样拿十五点

小王和小丁在玩一种15点的游戏。

玩法很简单：把9张扑克牌——黑桃A、黑桃2……直到黑桃9，随便摆在桌子上，两个人轮流拿牌，1次1张；谁手中的3张牌，首先加起来是15点，谁就胜了。

小丁先拿，拿了一张5；小王后拿，拿了一张7。接着，小丁拿了个2，要是再拿个8，就15点了。于是，小王赶快把8拿到手。

接着，小丁拿了9。此时小丁手里有2、5、9三张牌，桌子上还有1、3、4、6四张牌。在这种情况下，小王要是拿1，小丁就拿4，有$2+9+4=15$；小王要是拿4，小丁就拿1，有$9+5+1=15$。所以，小丁一定可以胜利。

两人玩了多次，小王总是不能取胜，最多是和局，两人都拿不到15点。

最后，小王问小丁，你老赢不输的窍门在哪里？

小丁说：我先不告诉你。我们再来玩三子棋，你边玩边想。

三子棋的玩法也很简单。棋盘像一个“井”字，两人分别执黑白子轮流往这9个格子里下子，谁先把3个子摆在一条直线上（横、竖、斜都可以），便胜利了。

还是小丁先下。第一盘，小王执黑下到第6步，就发现无法挡住小丁的胜利。不过，小王很快就掌握了下三子棋的窍门，再也不败了。

小丁说：你会下三子棋，也就会玩15点，肯定不会再输了。

小王开始不明白，想了一会儿，恍然大悟：呵，原来15点和幻方有关系。

2	9	4
7	5	3
6	1	8

丁3 ○	丁5 ○	丁7 ○
王2 ●	丁1 ○	
	王6 ●	王4 ●

把9张牌，按横、竖、斜3张的和都是15，摆到井字形的9个方格里，拿15点的窍门就明显了。想叫3张牌相加得15点，相当于拿一条直线上的3张牌。从某个格里拿去1张牌，换上1个石子，拿15点游戏就变成了下三子棋。反过来，每下1个石子，就把石子那里的牌拿出来，三子棋又变成15点游戏了。这样，两种游戏就是一回事了。

尽管两种游戏的道理一样，可是下三子棋的窍门，要比拿15点容易掌握。小丁用下三子棋的窍门来玩15点的游戏，当然就老赢不输了。

这是一个例子，它告诉我们：利用一一对应，有时能把复杂的问题，变得简单一些！

思 考 题

请你研究一下这个游戏的取胜方法：剪9张纸片，在上面分别写上65、77、85、133、210、286、561、646、741；然后，两人轮流拿走1张纸片，谁先拿到有同一因子的3个数为胜（例如77、210、133都有因子7）。你能把它和三子棋联系起来吗？

数学一大法宝

一一对应，可以用来计数，可以用来比较 2 个集合里的元素的多少。一些东西不好计数，例如牛羊，另一些东西好计数，例如手指，可以把不好计数的牛羊和好计数的手指一一对应一下，就变得好计数了。

用贴标签、编号码等方法，还可以把混乱的集合和有秩序的集合一一对应，使混乱的集合变得有秩序。成千上万的各种车辆，分类、编号、登记、挂牌，一有事情，按牌查对，很快就找到了车主。

集合甲：1、2、4、8、16、32、64……

集合乙：0、1、2、3、4、5、6……

把它们的元素按上面的顺序一一对应起来，能使乘法变加法。

比如在甲集合里，4、8、32 三个数之间有一种关系，叫做 $4\times8=32$。对应到乙集合里，4 对 2，8 对 3，32 对 5，2、3、5 三个数之间也有一种关系，就是 $2+3=5$。

这样一一对应，把甲集合的乘法关系，变成了乙集合的加法关系，也就化难为易了。

在 15 点游戏里有 9 个数，在三子棋游戏里有 9 个点（位置），把它们来个一一对应：3 个数和为 15，对应的 3 个点就在一条线上。3 个数和为 15 的变化很多，不是一眼就能看出来的；三点一线，却一目了然。这种一一对应，找到了 2 种关系在结构上的共同之点，就能化繁为简，化隐蔽为明了。

像这种能把甲集合里的一种关系，变成乙集合里的另一种关系的一一对应，叫做“同构”。同构是数学里的一个十分重要的概念，十分有用的方法。对数就是同构的一种应用。

一一对应，看来简单，用处很大，是数学中的一大法宝！

想一想再回答

正六边形是一种很重要的图形。它有点像一朵美丽的雪花，有不少有趣的几何性质。

在纸上画一个正六边形，又画一条直线 l，从 6 个顶点向 l 引垂线，得到几个垂足?

当然是 6 个了，1 个顶点有 1 个垂足嘛。

不要忙，想一想再回答。一想，你明白了，也许是 3 个，也许是 4 个，当然，也会是 6 个。

在右边那个图上，由点 A、B、C、D、E、F 组成的集合，和它们的垂足 M_1、M_2、M_3、M_4、M_5、M_6 组成的集合之间，是一一对应的关系。每个顶点只有 1 个垂足，每个垂足也只和 1 个顶点对应；6

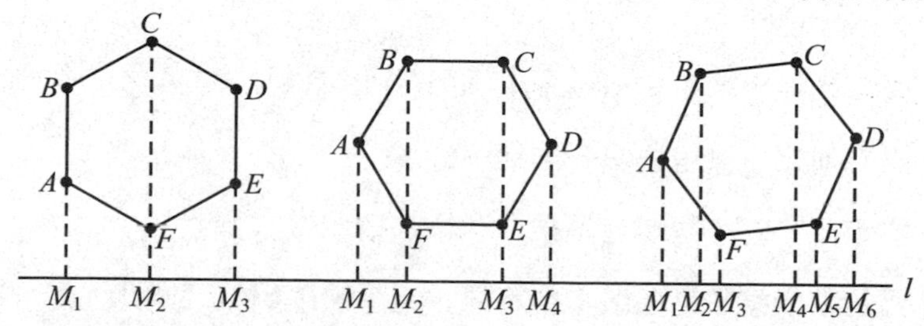

个顶点，6 个垂足。

左边那个图就不同了，虽然每个顶点，还是只有 1 个垂足；反过来就不是这样了，每个垂足，和 2 个顶点对应。

中间的图，A 和 M_1 对应，B、F 都和 M_2 对应……每个顶点，仍然只有 1 个垂足，可有的垂足和 1 个顶点对应，有的垂足和 2 个顶点对应。

这个例子告诉我们：数学中的对应，并非都是一一对应的；同一个问题中，既会出现一一对应，也会出现其他的对应！

这 3 个图所表示的对应关系，虽然大不相同，可又有相同之点：每个顶点，都有一个而且只有一个垂足。

这类对应，叫做集合到集合的“映射”。

一般说：甲、乙两个集合，要是对甲集中的每一个元素，都指定了乙集中的一个元素和它对应，这种对应关系，便叫做映射。

比如这里有一堆苹果，又有一排筐子，给你一个任务：把所有的苹果都装到筐子里，当你装完之后，你就建立了从苹果集合到筐子集合的一个映射。

因为，每个苹果确确实实都和 1 个筐子对应起来了。你能把 1 个苹果装到 2 个筐里去吗？当然不能。

要是每个筐子里都有苹果，这个映射叫做“满射”。

要是 1 个筐子至多装 1 个苹果，这个映射叫做“单射”。

要是个个筐子里都有苹果，而且都只有 1 个苹果，这种映射就叫做一一对应了。

一一对应也是映射，是既“满”又“单”的映射，是特殊的映射。

可见，映射这个概念，比一一对应更广泛！

猴儿水中捞月

你知道猴子捞月的故事吗？猴子把月亮在水中的映像，当成真的月亮了。

不过，只要不把映像当成真的月亮去捞，从水中的映像，还是可以看出月亮究竟是个什么样子的。甚至在很多场合，看虚的映像，比直接看实物反而更有用，也更方便。

汽车驾驶室两旁，总有两个微凸的镜子。没有它们，驾驶员就无法看到车旁和车后的人和车了。

刮脸的人看不见自己的下巴，只有把下巴映射到镜子里，才能看着下巴，来掌握手中的刮脸刀。

在望远镜和显微镜里面，看到的都是景物的映像。这样看映像，看得更细、更远。

数学里的映射，也有类似的情况。

多边形的模样变化万千，哪个大，哪个小呢？这就要算一算它们的面积是多少了。什么是面积呢？面积是一个数。每个多边形有一个确定的面积，也就是对应了一个数。这就是从多边形集合到数集合的一个映射。有了这个映射，就能比较多边形的大小。

同样，每个角有一个度数，这也是映射。

每个二次方程有一个判别式，判别式是一个数。根据这个数是正、是负还是0，可以判断对应的方程有不同的实根、复根还是重根。二次方程与判别式的对应关系，也是一种映射。

还有圆与圆心的对应，是圆集合到点集合的一个映射；圆与它的周长的对应，也是一种映射。

多项式和它的次数的对应，是多项式集合到自然数集合的一个映射。

平面上的点与它的坐标的对应，是点集合到数对集合的映射。这是个一一对应。

每个无理数都是无限不循环小数，我们取四位有效数字，得到了它的近似值，无理数和它的这个近似值之间的对应关系，是无理数集合到有理数集合的一个映射。

每个正整数都有一个尾巴。54 的尾巴是 4, 129 的尾巴是 9, 1983

的尾巴是3，数和它的尾巴的对应，是从正整数集合到1、2、3、4、5、6、7、8、9、0 的一个映射。利用这个映射，容易证明$\sqrt{2}$是无理数：

因为，要是$\sqrt{2}$不是无理数，就有既约分数$\frac{m}{n}$，满足$\sqrt{2}=\frac{m}{n}$，也就是$2n^2=m^2$。你一算就知道，平方数的尾巴只能是1、4、6、9、5、0；而平方数的二倍，它的尾巴只能是2、8、0。等式两边的尾巴应当相同，这说明$2n^2$和m^2的尾巴都是0。可是，这样的n和m就有了公因子5，与假设不相符合了。所以，这样的$\frac{m}{n}$是不存在的。这就证明了$\sqrt{2}$是无理数。

在数学里，映射真是无处不在啊！

到处都有映射

小孩子开始学说话的时候，往往有一个重大的发现：原来世界上万物都有名称。于是，他产生一种强烈的愿望，要知道他所见到的一切东西的名称。因为不知道名称，就没法说话，就没法提出各种要求。

这是什么呀——椅子；

这是什么呀——汽车；

这是什么呀——小猫。

知道了名称之后，他往往心满意足，好像知道了这个世界的一切。

什么是名称呢？这是实物集合到声音符号集合的映射。

他还会发现许多映射:

街道有名称，住户有门牌，商店有招牌，商品有商标。

人有姓名，大人有工作证，小孩有学生证，每个人都有生日……

不只小孩子在学习映射，就是你在学校学习各门功课，也都在学习映射:

在历史课上，每个历史事件对应它发生的原因、年代……

在地理课上，每个省区有它的出产、人口数……

在化学课上，每种元素对应它的原子量……

我们在学校学的一切知识，无非是说明事物之间的相关联系，而这种联系，几乎都可以用映射来表述!

为什么算得出

知道了正方形的周长，就能算出它的面积。

为什么能算得出来呢？因为正方形周长和它的面积这两个数量之间有联系。

有联系，是不是就一定算得出来呢？

长方形的周长和它的面积之间有没有联系呢？总不能说没有。可是，知道了长方形的周长，你却算不出它的面积来。

可见，光有联系，不一定算得出来，还必须有确定性的联系。正方形的周长可以确定它的面积。它们之间，就有确定性的联系。长方形的周长和面积之间虽然也有联系，可这种联系不是确定性的联系。

这种反映两种量的确定性联系的数学关系，叫做函数关系。

正方形的周长 l 给定了，它的面积 $S=\left(\frac{l}{4}\right)^2$ 就确定了。也就是说，S 是 l 的函数。

圆的面积 S 是它的半径 r 的函数。因为 $S=\pi r^2$，知道了 r 的值，

S 就随之确定了。反过来，圆的半径 r 也是面积 S 的函数。

学三角，给了角度 A，$\sin A$ 便唯一确定了，所以 $\sin A$ 是 A 的函数。

x 的绝对值——$|x|$ 是什么呢？有些同学总说不明白。用函数概念，可以说清楚：$|x|$ 是 x 的一个函数，当 $x \geqslant 0$ 时，$|x| = x$；当 $x < 0$ 时，$|x| = -x$。总之，给了 x，$|x|$ 便确定下来了。所以，我们说 $|x|$ 是 x 的函数。

总之，函数是指两个量之间的确定联系，其中的一个量决定另一个量。决定人家的量叫自变量，被人家决定的量叫因变量，也叫做函数。自变量在某个数集合里取值，因变量——函数也在对应的数集合里取值。

对了，函数也是映射，是数集合到数集合的映射：

函数概念，是映射概念的特殊情形；

映射概念，是函数概念的推广！

在历史上，很多数学家说不清什么是函数，总觉得函数都应该用公式表示，或者用曲线表示。后来，才取得了一致的意见：函数，就是数集合到数集合的映射！这是德国数学家迪理赫勒的功劳。

0和1的宝塔

$(x+y)^2=x^2+2xy+y^2$，

$(x+y)^3=x^3+3x^2y+3xy^2+y^3$。

那么，$(x+y)^4$、$(x+y)^5$、$(x+y)^6$……展开之后，各项的系数又是什么呢?

很多书上介绍了这个二项式系数三角表:

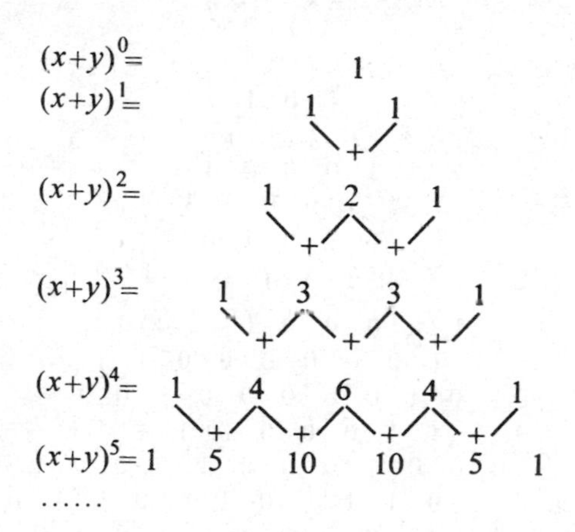

这个三角形数表，是我国北宋数学家贾宪首先提出来的，人们称为“贾宪三角”，西方称其为“帕斯卡三角”，但实际上，欧洲人

要比贾宪晚600年。

这些数有个有趣的性质：它的第1、2、4、8、16……行上的各个数，全都是奇数；而别的各行，全都含有偶数。

这是碰巧呢，还是有规律？用一下映射的技巧，容易把它弄清楚。

先规定一下：偶数和0对应，奇数和1对应，这是一个映射。

再规定一下：偶数加偶数，得偶数，所以$0+0=0$；偶数加奇数，得奇数，所以$0+1=1$，$1+0=1$；奇数加奇数，得偶数，所以$1+1=0$。

把二项式系数表上的偶数换成0，奇数换成1，得到一个0和1组成的金字塔。按照刚才规定的加法，这个金字塔中从上到下的规律，和原来的三角形数表的规律是一致的：

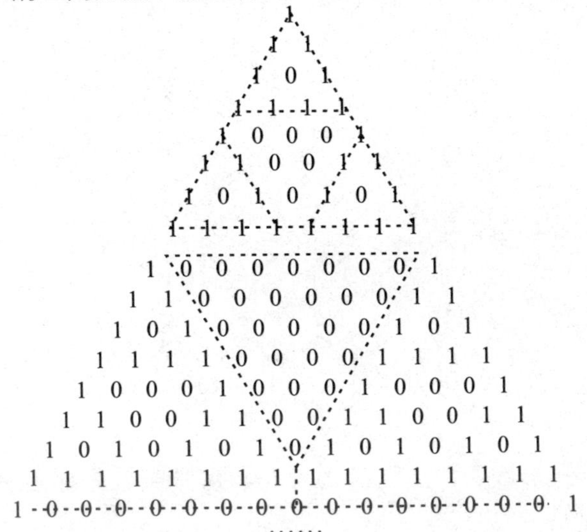

这样一映射，我们可以看出道理来了：从第4行全是1，可知第5行中间全是0；5、6、7三行的中部，出现了一个由0组成的倒金字塔，也就是说，5、6、7这三行中，不可能都是奇数；第5行两端的两个1，按照前面1~4行的发展规律，到第8行就全部变成1了，这说明二项式金字塔的第8行，全是奇数。

同样的道理，第16行的二项式系数全是奇数，而9~15行里，每行都有偶数。

再往下去，第32、64、128、256……这些行都是奇数，其他行里总有偶数。

要是不用映射，只看原来的那个三角形数表，这规律就不那么醒目了！

映射产生分类

研究问题，处理事情，常常要分类。

成千上万的字，不按拼音、偏旁分类，查字典就不好办。电话号码本，不分门别类，打电话就不好查。

研究动植物要分类，医院看病要分科，百货公司的商品要分柜……映射，可以帮助我们分类。

按我国的民间习俗，每人对应一个属相，这样，按十二生肖就可以建立人到动物的一个映射。这个映射把人分成了 12 类。

在上一节里，我们把偶数和 0 对应，奇数和 1 对应。于是，对应于 0 的是一类，对应于 1 的是另一类。

每个数用 9 除，得 1 个余数，这个数到它的余数的对应，是一个映射。映射到同一个数的，也就是余数相同的，属于一类。这就把无穷无尽的自然数，分成了简简单单的9类。

二次方程对应它的判别式，而判别式又对应它的正负号。这两个映射，把方程分成了3类：判别式大于0、小于0和等于0。

圆到它的圆心的对应，把圆分成很多族，每族有共同的圆心。

分类，用集合的语言来说：把一个集合 A 的元素分类，就是找出一些两两不相交的子集，这些子集的并集等于 A。要是把这里的每个子集当成一个元素，组成一个集合 B，这就自然地形成一个从 A 到 B 的映射：A 的每个元素，和它所在的子集对应。

这样看来，不仅映射产生分类，而且分类也可以产生映射！

一样不一样呢

爸爸在家里教小明学会了“小”字。到了街上，爸爸指着小吃店的招牌上的“小”字问他，这是什么字？小明说不认识。爸爸说，那不是刚学过的“小”字吗？小明说，这个“小”字和我学的那个不一样，那个小，这个大得多！

这个笑话之所以成为笑话，就是因为大家都知道：一个字写得大些、小些，都是同一个字。

国旗上的大五角星和小五角星，一不一样呢？

说一样，对。它们都有 5 个角，5 个角都是 36°，颜色都是黄的。

说不一样，也对。一个大，一个小嘛。

在数学里，这个矛盾就能解决了：这两个五角星是相似的，但不是全等的！

在日常生活中，“一样”有时表示全等，有时表示相似，有时表示某些方面有共同点。

在数学里说全等，得满足三条：

一、△Ⅰ≌△Ⅰ（自己和自己全等——反身性）；

二、△Ⅰ≌△Ⅱ，则△Ⅱ≌△Ⅰ（对称性）；

三、△Ⅰ≌△Ⅱ，△Ⅱ≌△Ⅲ，则△Ⅰ≌△Ⅲ（传递性）。

在数学里，说相似也得满足三条：

一、△Ⅰ∽△Ⅰ；

二、△Ⅰ∽△Ⅱ，则△Ⅱ∽△Ⅰ；

三、△Ⅰ∽△Ⅱ，△Ⅱ∽△Ⅲ，则△Ⅰ∽△Ⅲ。

要是在某个集合里，规定了 2 个元素之间的某种关系满足这 3 条，便叫做“等价关系”。=、≌和∽都是等价关系。

两个数用 9 除余数相同，叫做模 9 同余，这也是一个等价关系。

>、<和//都不是等价关系。在集合之间，∈和⊆，也不是等价关系。

有一个等价关系，就可以分类，彼此等价的属于一类，这叫做划分等价类。

日常所说的“一样”，含意的变化虽然很多，可是不管用在什么地方，本质上是等价：

第一，一个事物总应该和自己一样；

第二，甲和乙一样，那乙和甲一样；

第三，甲和乙一样，乙和丙一样，那甲和丙一样。

不满足这3条，“一样”这个词就用得不恰当。

回到开始的笑话上来。我们认为两个字是一样的，实际上是把字分了类：不论大小，是毛笔写的，钢笔写的，铅字印的，书法优劣，只要是笔画结构相同，都归入一类。同一类的，算是一样的！

应用抽屉原则

现在有10个苹果，9只筐子，要把苹果装到筐子里，你就不可能使每个筐里只装1个苹果；至少有1个筐子，里面装了2个或者更多的苹果。

这也就是说：甲集合的元素比乙集合的元素多，那从甲集到乙集的映射，绝不可能是一对一的！在乙集中，一定有这样的元素，它同时被甲集中的2个或者更多的元素所对应。

还可以这样说：把许多东西分成许多类，要是类数比东西数少，一定会有一类里面不只一件东西。

人们把这个显而易见的事实叫做抽屉原则。它也叫做鸽笼原理、邮箱原理和重叠原则。

这么简单的事谁不知道，又是什么原则、原理的，好像很了不起的样子。

你千万不要小看了这个既平常又简单的道理。许多有趣的难题，都可以用抽屉原则来解决。

一个村庄有400人，他们中总会有2个以上的人在同一天过生日，这是什么道理呢?

道理就是抽屉原则。把一年365天，当成365个抽屉，把400人分放到365个抽屉里，总有些抽屉里超过2个人。

我国有10多亿人口，你能不能肯定：总能找出1万个人，他们的头发根数一样多?

道理仍然类似。人的头发不到10万根，把10多亿人按头发数分成不到10万组，总有一组，人数超过万人。不这样，加起来就不到10亿了。

也许你觉得上面2个题目太简单了，那么，请看下一个：

你能把44张纸牌分装在10个信封里，使每2个信封里装的牌不一样多吗?

答案是不行。你只要计算一下

$$0+1+2+3+4+5+6+7+8+9=?$$

便可以回答这个问题。

下面这个问题更难一点：

在边长为1的正三角形里有5个点，求证：其中总有2个点，它们的距离不超过$\frac{1}{2}$。

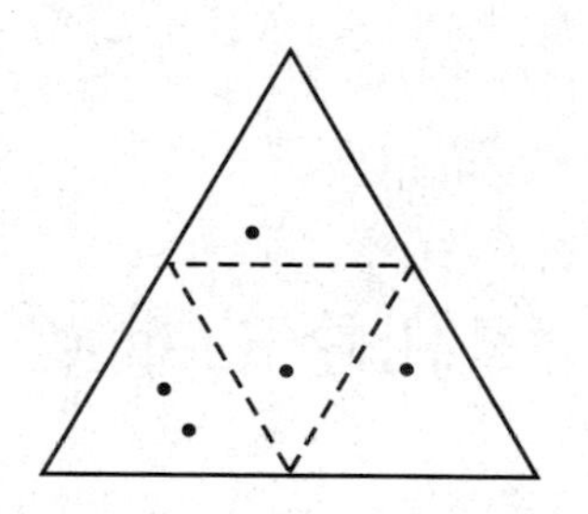

要解决这个问题：第一步，把正三角形分成4个一样的小正三角形；第二步，证明在正三角形内任取2点，它们的距离不会超过小正三角形的边长。

利用抽屉原则，这5个点必有2点在一个小正三角形内，而在一个小正三角形内的2点，它们的距离不会大于边长。也就是不大于原正三角形边长的$\frac{1}{2}$。

思 考 题

1. 求证：在圆内任取7个点，其中总有2点，它们的距离不超过圆的半径。把7改为6呢？

2. 从1、2、3……100这100个数中，任取51个，其中必有1个是另1个的整数倍，为什么？

伽利略的难题

伽利略是16世纪~17世纪的意大利物理学家。他对自由落体的研究，至今是物理教科书的重要内容。可是，很多人不知道，他曾经提出过一个非常有意义的数学问题。

这个问题就是：是自然数多呢，还是完全平方数多？

要知道，自然数

1、2、3、4、5……

是无穷无尽的；而它们的平方数

1、4、9、16、25……

也是无穷无尽的。这两串无穷无尽的数，能不能比较它们的多少呢？

这确实是一个大胆的问题。伽利略提出了这样一个别开生面的问题，并试图去解决它，真不愧是一个思想解放的伟大科学家。他那时是这样想的：

一方面，在前10个自然数中，只有1、4、9三个平方数；在前100个自然数中，只有10个数是平方数；在前1万个自然数中，只有100个数是平方数……可见，完全平方数只是自然数的很少的一部分。在前 100 万个自然数中只有 1000 个平方数，只占 0.1%，而且到后来还会更少。

可是，每个自然数平方一下，就得到一个平方数；而这每个平方数加上个开方号，就是全体自然数。难道 1^2、2^2、3^2、4^2、5^2……会比

1、2、3、4、5……

少吗？一个对一个，一点也不少呀！

伽利略感到困惑了。他没有找到解决的办法，把这个问题留给了后人。

你看，伽利略的思考是很具体、很细微的。可惜，他在考虑这个问题之前，没有确定一个标准：什么叫做一样多？什么叫做这一堆比另外一堆多？

连个标准都没有，怎么能得出正确的解答呢。

康托尔的回答

伽利略提出的问题，并没有受到人们的重视。大家似乎认为：无穷多和无穷多的比较，是一个没有意义的问题。

200 多年之后，德国数学家康托尔创立了集合论，并且重新研究了无穷集之间元素个数的比较问题。

康托尔吸取了伽利略在这个问题上的失败教训，一下子抓住了问题的关键：什么叫做 2 个集合的元素一样多？

回答只能有一个：能够一一对应就是一样多！这个回答，其实连原始部族的人也知道。不过，他们是用一一对应的方法，来比较有穷集的大小；而康托尔要把这个标准，推广到无穷集之间的比较。

有人觉得，比较有穷集的大小有两个方法：一个方法是一一对应；另一个方法是数一数。其实，数一数，也是一一对应。

为什么呢？你看小孩子怎样数苹果：当他喊着“1”的时候，用手指指住 1 个苹果；喊“2”的时候，又指 1 个，这不是把苹果和数一对一地对应起来了嘛。所以，判断 2 个有穷集的元素个数是否相等，只有一个方法：看它们能不能一一对应。

康托尔认为：看两个无穷集元素是不是一样多，标准也只能有一个，这就是看它们之间能不能建立一一对应。能建立一一对应，就应当承认它们是一样多的。

有了标准，事情就好办了。

每个自然数肩膀上添一个小小的“2”，就变成了平方数。自然数和平方数之间就有了明显的一一对应关系：

1、2、3、4、5……

1^2、2^2、3^2、4^2、5^2……

我们只好承认：自然数和完全平方数一样多！

伽利略也许想不到，他的问题的答案，竟是如此的简单。

是呀，很多问题，当我们知道了它们的答案时，都似乎变得简单了。

也许你对康托尔的答案不服气，因为完全平方数不过是全体自然数的一部分，而且是很小很小的一部分，难道整体可以和它的很小很小的一部分一样多吗？

你尽管反对，康托尔却满不在乎。

他心平气和地回答：无穷集可以和它的一些子集建立一一对应，这没有什么奇怪。这正是无穷和有穷不同的地方！你既然同意把一一对应作为一样多的标准，就不应当反悔呀。反悔也可以，只要你能提出比一一对应更合理、更有说服力的标准。

可是，谁也提不出更好的标准。

只要你想问两个无穷集的元素是不是一样多，就得引进这唯一的标准，就只好承认由此而来的、和我们的习惯不符的怪现象！

怪事还多着呢

自然数和完全平方数一样多，你觉得是件怪事。可是，怪事还多着呢。

根据能一一对应就算一样多的标准，许多出乎意料的怪事出现了。

照我们直观的想象，有理数要比自然数多。因为，在数轴上，有理数密密麻麻，到处都是；自然数稀稀拉拉，哪有有理数多呢！

事实上，可以把有理数排成一队：

首先是0，然后是±1，再后面是±2、$\pm\frac{1}{2}$，然后是±3、$\pm\frac{1}{3}$，然后是±4、$\pm\frac{1}{4}$、$\pm\frac{3}{2}$、$\pm\frac{2}{3}$，然后是±5、$\pm\frac{1}{5}$，下面是±6、$\pm\frac{1}{6}$、$\pm\frac{2}{5}$、$\pm\frac{5}{2}$、$\pm\frac{4}{3}$、$\pm\frac{3}{4}$……

你看出这种排队方法的诀窍了吗？

要知道，有理数都可以写成既约分数，而分数有分子和分母，我们把分子分母相加，得到1个子母和，子母和小的，站队站在前面，子母和大的，站在后面。这样一个挨一个，我们便把全体有理数排成一队了。

排了队，报数！1、2、3、4……顺次和自然数一对一地对应起来。这就证明了：有理数看来声势浩大，其实没有什么了不起，不过和自然数一样多罢了！

按照一一对应标准，三角形中位线上的点，和底边上的点一样多；

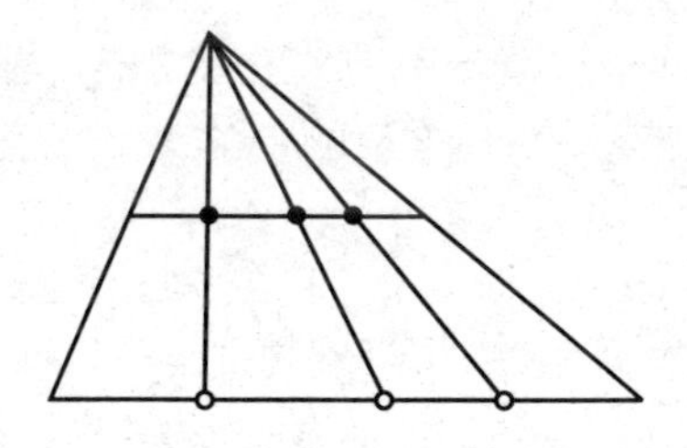

半圆周上的点，和直径上的点一样多；

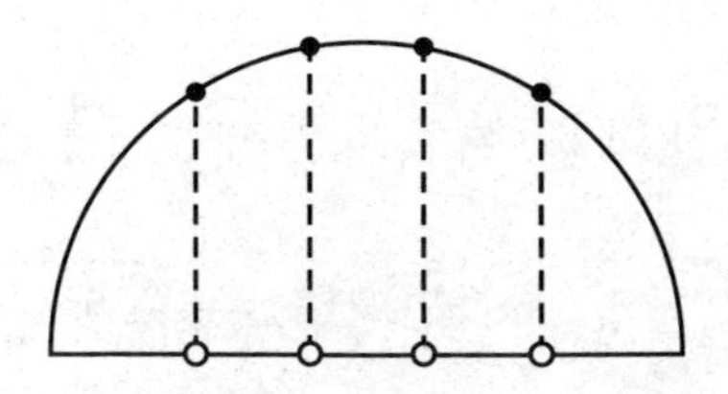

半圆周上的点，和无限长的整条直线上的点一样多！

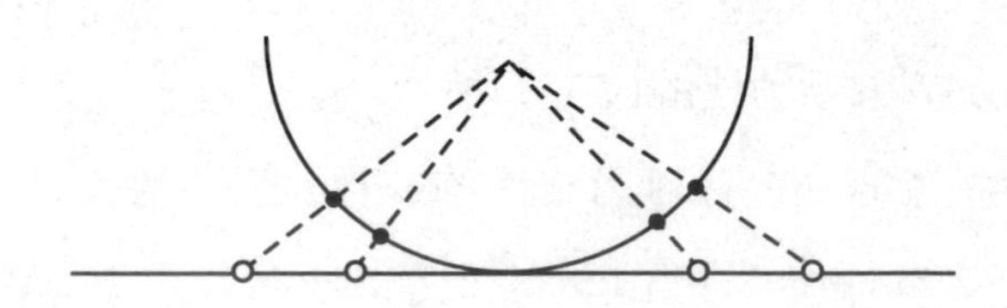

那么，1 毫米线段上的点，岂不是和无限长的直线上的点一样多了吗？是的，确实一样多！

还有令人更为惊奇的呢，按照一一对应的标准，竟能得出这样的结论：随便多么短的线段上的点，竟和整个平面上的点一样多，和整个空间里的点一样多！

因为这些不符合直观印象和习惯的怪结论，康托尔的集合论受到了许多人的攻击，连他的老师克朗南格都激烈地反对他。可是，康托尔并没有屈服，他在激烈的论战中捍卫自己的正确观点，直到因过度劳累得了精神病而逝世。

随着时间的飞逝和科学的发展，康托尔创立的理论，越来越受到人们的重视。现在，集合论已成为现代数学大厦的基础！

无穷集的大小

刚才，我们知道了：密密麻麻的有理数，和稀稀拉拉的自然数一样多；小小一段直线上的点，和无边无际的宇宙空间里的点一样多。

是不是所有的无穷集里的元素都一样多呢？要是统统一样多，无穷集的比较也就没有意义了。反正都一样，还比什么呢？

有趣的是，偏偏不是这样。例如一段直线上的点，就比全体自然数多。也就是说，谁也不能把一段直线上的点，一个一个地排成队，使它们和自然数一一对应起来！

要是有一个人宣称，他已经把一段直线上的点排成了队：

a_1、a_2、a_3……

我们马上就能指出他的错误：

假定这段直线长为 l，我们可以把 a_1、a_2、a_3……一个一个地从这段线上挖掉。要是所有的点都排在这个队伍里了，那么，我们就能把这个线段挖得什么也不剩！

第一步，挖掉一段长为$\frac{l}{4}$，包含了 a_1 的线段；第二步，挖掉长为$\frac{l}{8}$，包含了a_2的线段；然后是包括a_3的、长为$\frac{l}{16}$的一段；下面轮到a_4，只挖掉包含它的、长为$\frac{l}{32}$的一段。

因为不论n多么大，

$$\frac{l}{4}+\frac{l}{8}+\frac{l}{16}+\frac{l}{32}+\cdots+\frac{l}{2^n}<\frac{l}{2},$$

所以，即使把a_1、a_2、a_3……这无尽的一排都挖完，挖掉的长度还是不会超过$\frac{l}{2}$，剩下的点还多着呢！

可见，a_1、a_2、a_3……这一列数中没有包含线段上所有的点。

我们就这样否定了把线段上的点，和自然数一一对应的可能。它们不是一样多的！

很明显，线段上的点不会比自然数少。因为我们可以很容易从中取出一些来和自然数对应。结论：线段上的点比自然数多！

有没有一个无穷集，它的元素最多最多，比任何集的元素都多呢？

回答是没有。任何集合A，它的所有的子集的数目，总比A的元素要多。这是康托尔的一条有名的定理。

无穷多的等级是无穷的。没有最大的自然数，也没有最大的无穷！

研究无穷的比较和运算的数学，叫做超限数论。最小的无穷集就是自然数集。

平凡中的宝藏

集合的思想，原来是极其平凡而又非常简单的东西。这里面，没有复杂的公式、美妙的曲线、难解的方程新奇的图案。它平凡得使人不注意它，而一旦注意了它，从中发掘，便能发现无尽的宝藏！

盖高楼大厦，用得最多的，是普通的砖、石和钢筋、水泥。

简单的东西是原料，而原料是可以做成各种各样的成品的，所以用途最广。做成了成品，用处固定下来，能用的地方就不多了。在数学里，集合的思想，一一对应的思想，以及其他基本的概念和公式是原料，所以用处最大！

在现在的世界上，人们发愁的不是缺少高精尖的仪器和设备，而是能源和原料的不足。

在学习中，特别是学习数学的时候，有些同学往往只重视解难题，学技巧，找绝招，而忽视了基本概念、基础知识的理解和运用。这样陷入题海，即使一时分数上去了，好像是解题的本领提高了，结果却是沙上建塔，不可能很高。

读了这本小书，要是你从此更加喜爱集合，并且重视琢磨和掌握数学中的基本概念和基础知识，那将是一大收获！

历史令人神往

在这最后一节里，讲个惊人的故事给你听。这就是罗素悖论，它使集合论和整个数学发生了一次严重的数学危机。

有一个村庄，住着一位理发师。他有一个约定：给村里所有自己不刮脸的人刮脸，可是不给那些自己刮脸的人刮脸。

试问：他应不应当给自己刮脸呢？

要是说，他不给自己刮脸，他就是一个自己不刮脸的人，按约定，他就应当给自己刮脸。

反过来，要是他给自己刮脸，他就是一个自己刮脸的人，按约定，他就不应当给自己刮脸。

总之，他陷入了两难的境地：给自己刮脸不对，不给自己刮脸也不对！

像这样正面不对，反过来也不对的话，叫做悖论。悖论和“白马非马”那样的诡论不一样。在诡论里，包含有逻辑上的错误；而在悖论里，我们却找不出什么地方错了！

这个著名的理发师的悖论，是英国哲学家、数学家罗素提出来的。

这个悖论很有趣。可是，它和集合论又有什么关系呢？

人们常说，数学是科学的基础，而集合论又是公认的现代数学的基础。大家都希望这个基础坚实可靠，千万不要出什么问题才好。

可是，就在集合论的创始人康托尔还健在的时候，人们就发现这个基础有令人担心的裂缝。这裂缝就是罗素悖论。

19 世纪末，集合论已取得了相当大的成就，形成了一个独立的数学分支。这时，德国逻辑学家弗里兹，完成了他的重要著作《算法基础》第二卷。在这本书里，他以集合论为整个数学的基础，搞了一套自以为很严密的理论体系。这本书在 1902 年付印之时，他收到了罗素的一封来信。罗素用一个悖论指出：看来结构严密的集合论，却包含着矛盾！

当时，普遍认为，满足一定条件的一切东西 x，可以组成一个集合。至于是什么条件，倒没有加以限制。这也就是允许用集合的记号：

$$A=\{x\mid x\text{满足}\cdots\cdots\}$$

来定义一个集合。这种定义的合理性，大家都承认了，称之为“概括公理”。

既然有概括公理，罗素就利用这个公理，引进了一个奇怪的集合，结果总是矛盾。理发师的悖论，就是这个集合的通俗化了的翻版。

弗里兹收到罗素的信之后说：最使一个科学家伤心的，是在他的工作即将完成之际，却发现基础崩溃了。可见这封信对他的打击有多大！

罗素的信一发表，就引起了当时数学界和哲学界的震动。这是因为，罗素悖论来自作为数学基础的集合论内部，推理简单明了，毫不含糊，用的正是数学家常用的推理方法。大家一时找不出问题所在，于是疑云四起，不仅怀疑集合论，甚至也对整个数学提出了怀疑！

为了清除这个悖论，罗素写了厚厚的一部书。可是，他的理论太复杂了，大部分数学家都不欢迎。

数学家策墨罗，提出了限制集合定义的办法，来消除这个悖论。他主张，并不是随便什么条件都可以定义集合，而只允许从一个集合里分出一个子集合。他的理论比较简单，得到大多数的数学家的赞同。

另外，数学家贝尔奈斯等人，也提出了一个公理系统，它也可以消除罗素悖论。

总之，罗素悖论刺激了集合论和整个数学的发展。经过一番大争论，很多问题弄得更清楚了，很多新的理论建立起来了！

经过大家的努力，罗素悖论被消除了。可是，将来会不会出现新的悖论呢？能不能一劳永逸地消除一切悖论，证明数学的理论基础是和谐完美、永不自相矛盾呢？

看来很难。数学家哥德尔证明了：想证明一个理论系统无矛盾，必须假定一个更大的理论系统无矛盾。所以，数学的无矛盾性无法在数学内部证明。数学的力量，只能在它广泛有效的应用中表现出来！

实践是检验真理的唯一标准。这对数学也不例外！

除了罗素悖论之外，数学史上还有过好多著名的悖论。

在古希腊，人们发现：边长为 1 的正方形，它的对角线的长$\sqrt{2}$，不能用分数表示，当时就被认为是悖论，叫做毕达哥拉斯悖论。那时候，人们只有有理数的知识，于是就把$\sqrt{2}$的发现，看成是一次数学危机。引进了无理数之后，这个悖论就被消除了。

类似的，在历史上还有过“勇士追不上乌龟”的芝诺悖论，“无穷小的数是不是0”的贝克莱悖论。特别是贝克莱的悖论，对数学界影响很大，被称为第二次数学危机。随着微积分的发展，人们掌握了极限理论，这些悖论也被消除了。

罗素悖论比数学史上的每一个悖论都更深刻。因为它涉及数学的基础，引起了数学家长时期的大争论，被称为第三次数学危机。

第一次危机，促进了无理数的诞生。第二次危机，加速了微积分的成熟。作为第三次危机的结果，一门新的数学分支，公理化集合论建立起来了。

这三次危机，一次比一次深刻，一次比一次引起了更大的震动。可是，每经过一次危机，数学的成就更加辉煌，数学花园里就增加了更多的奇花异草！

数学，这门古老的科学，至今仍是生机勃勃，正在飞快地向前发展。

集合论，作为数学的基础，它和逻辑学、语言学、哲学相互联系，并肩前进。它的领域正在不断扩大，许多新问题，有待新一代的人们去解决！

思 考 题

罗素悖论在数学上是怎么回事呢?

某些集合看起来也可以是自己的元素。比方说：一切不是皮球的东西构成的集合，这个集合自己也不是皮球，所以它应该是自己的元素。罗素定义一个这样的集合：所有自己不是自己的元素的集合组成的集合。这个集合是不是自己的元素呢？无论怎么回答，都有矛盾：

要是它是自己的元素，它应当是“自己不是自己的元素的集合”；

要是它不是自己的元素，它应当不是“自己不是自己的元素的集合”，也就是应当是自己的元素！

附录　关于对“有名的怪题”一节的讨论和修正

2011 年 3 月 25 日，我收到了署名为“水的自由落体”的一封电子邮件，对本书中“有名的怪题”一节提出了不同的看法。后来我知道，“水的自由落体”是温州市建设小学的数学老师池捷。仔细看了邮件，发现池老师是对的。也就是说，书中的论述是有漏洞的。现在将邮件中有关的分析论述复制粘贴如下，最后并说明修正的办法。

此处作者谨向池老师表示衷心感谢。

下面的楷体字是邮件原文：

一开始甲说“你肯定不能猜出我的 p”，除了可以知道乙手中的 q 不能写成 2 个素数之积以外，我认为还可知道，q 不能写成一个充分大的素数与两个较小素数的积，例如 37。

若甲拿到 37，则两个根有可能为 31 与 6，所以乙有可能拿到的积为 $31\times2\times3$；若乙拿到这样的积，因为两根之和不能大于 40，马上就能知道两个根为 31 与 6（因为 31 与 2 或者与 3 相乘的话，根就大于40了)。从而在这种情况下，乙就知道甲手上的p，既然甲很肯定地说乙肯定不知道甲手上的p，所以甲手上就不能为37。

同样道理甲不能为35，因为两个根有可能为31与4，若乙拿到$31\times2\times2$的积，则乙能马上判断出两个根为31与4，从而知道甲手上的p。

同理可得，甲手上也不能为29，因为p为29，两个根有可能为23与6，p也不能为27，两个根有可能为23与4。

所以从甲说的第一句话可知，在4到40之间，一开始两个根之和只能为11、17、23。(而书上一开始得出的结论是有7个数，后来是利用两根之和是否在7个数之中得出最后的答案，其实两个根之和只能为3个数。)

A. 若甲手上为11，

则两个根有可能为2与9、3与8、4与7、5与6；

所以乙手上拿到的积有可能为18，24，28，30。

$18=2\times9=3\times6$，只有$2+9$在这3个数之中。

$24=3\times8=2\times12=4\times6$，只有$3+8$在这3个数之中；

$28=4\times7=2\times14$，只有$4+7$在这3个数之中。

$30=2\times15=3\times10=5\times6$，只有$2+15$、$5+6$在这3个数之中。

可见，若乙拿到了18、24、28，就能判断出甲手上拿的

是11，

可是这时，甲却不能断定乙方手上的是18、24还是28，

所以，甲手上拿的不是11。

B. 若甲手上为17，

则两个根有可能为2与15、3与14、4与13、5与12、6与11，7与10、8与9；

所以乙手上有可能为30，42，52，60，66，70，72。

$30=2\times15=3\times10=5\times6$，其中只有17和11在3个数之中，所以若乙拿到30，则不能判断甲手上是11还是17。

$42=2\times21=3\times14=6\times7$，其中只有23与17在3个数之中，所以若乙拿到42，则不能判断甲手上是11还是17。

$52=2\times26=4\times13$，其中只有17在3个数之中。

$66=2\times33=3\times22=6\times11$，其中只有17在3个数之中。(而书上是因为35在7个数之中，从而否定掉66这个数，其实66不应该被否定。)

而70与72与上面情况类似。

可见若乙手上拿的有52、66、70或者72，则能断定甲手里是17，可是这时甲却不能断定乙手里是52、66、70还是72。

所以甲手上不可能为17。

C. 若甲手上为23，

则两个根有可能为10与13、14与9、12与11……

所以乙手上拿到的积有可能为130、126、132……

而$130=10\times13=5\times26=2\times65$，其中只有$10+13$在3个数之中。

$126=14\times9=7\times18=$……其中$14+9$在3个数之中，可见若乙手上拿的是130或者126，则能断定甲手里是23。可是这时甲却不能断定乙手里是130还是126。

所以，甲手里不是23。

所以我认为原题无解。

我和我的学生郑焕博士讨论了这个问题。下面是他提出的修改意见，我以为是正确的。

在这道题中，把40改成65（65是针对37而修改的，$65=31\times2+3$）就可以了，这时37、35、29、27都不能排除，首先因为这些数不能表示成两个素数之和，其次当它们表示成一个素数与一个合数之和时，这个素数小于等于31，而合数必有因数2，这时$31\times2<65$，所以它们不能排除。而40～65之间的数都可以排除，首先排除40～65之间的偶数（它们都可以表示成两个素数之和），其次对于40～65之间的任何一个奇数a，都可以把a表示成$a=37+(a-37)$，而$a-37$的任何一个大于1的因数与37的乘积都大于65，所以也排除了40～65之间的奇数。

这样修改后原题答案不变。

中国科普名家名作系列

（数学部分）

“华罗庚专辑”（华罗庚　著）《从孙子的神奇妙算谈起》（双色、18.5元）；《聪明在于勤奋　天才在于积累》（双色、12.5元）。

“院士数学讲座专辑”（张景中　著）《数学家的眼光（典藏版）》（15元）；《从$\sqrt{2}$谈起（典藏版）》（12元）；《新概念几何（典藏版）》（20元）；《帮你学数学（典藏版）》（14元）；《数学与哲学（典藏版）》（14元）；《漫话数学（典藏版）》（20元）；《数学杂谈（典藏版）》（20元）；《从数学教育到教育数学（典藏版）》（16元）。

“数学故事专辑”（李毓佩　著）《荒岛历险（典藏版）》（双色、19.8元）；《爱克斯探长（典藏版）》（双色、18元）；《奇妙的数王国（典藏版）》（双色、19.8元）；《非洲历险记（典藏版）》（双色、16元）；《哪吒大战红孩儿（典藏版）》（双色、15元）；《小侦探游中国》（双色、12元）。

“名家精品集萃”《算得快》（刘后一著　9元）；《数学花园漫游记》（马希文著　8元）；《科学发现纵横谈》（王梓坤著　12元）；《函数和极限的故事》（张远南著　15元）；《概率和方程的故事》（张远南著　13元）；《图形和逻辑的故事》（张远南著　15元）；《挑战智慧（第一季、第二季）》（张远南著　共36元）。

“趣味数学专辑”（谈祥柏　著）《数学营养菜》（9元）；《登上智力快车》（8.5元）；《故事中的数学》（12.5元）；《好玩的数学》（14元）。**（李毓佩　著）**《牛顿的小屋》（18元）；《比尔·盖茨的网站》（18元）。

咨询电话：010－64003056

邮购地址：100708　北京东四12条21号中国少年儿童出版社科普编辑室